⑯番サタンマルッコ。
470kg、プラス6kg。
現在十四番
人気です。
⑫ハロンのチクショー道
TWELVE FURLONG GOLDEN BEAST ROAD
Author 野井ぷら
卵の黄身

第NN回
東京優駿
日本ダービー
GI
[東京 芝 2400m]

16
サダソマルッコ

12ハロンのチクショー道

TWELVE FURLONG GOLDEN BEAST ROAD

Author
野井ぷら
Illustration
卵の黄身

TWELVE FURLONG GOLDEN BEAST ROAD

CONTENTS

プロローグ　誰かの走馬灯

思えば、結構上手《うま》くいった人生だったかもしれない。

精々四、五年前の出来事である筈《はず》なのに明瞭でないのは、この身が人でなく馬だからだろうか。

馬。サラブレッド。

そう、俺は確かに人間だったはずだ。日本の、関東に住んでいて、競馬が好きな、別にどうという事の無い男。どうしてか人としての名前を思い出せないが、確かに人だったはずだ。

何か大きなものを目の前にしていたと思う。それでなにやら大仰かつ偉そうな声音で、『何を望む？』とか尋ねられた筈だ。

だから素直に『女のケツを並べてパコパコ犯しまくる生活がしたい』と答えたような気がする。

俺は若かったのだろうか。今となっては思い出せないが、生前精が有り余っていたのかもしれない。

それで、どうなったんだったか。そう。気付いたらこう、ぬめぬめでぬるぬるで生臭い物に包まれてて、こう、にゅりゅん！ってなったんだよ。暗いし寒いしなんかくせーし訳わかんねーしで喚《わめ》こうとしたら、俺の喉から「ひひ～ん」だよ。まぁそれでも暫《しばら》く訳わかんなかったけどね。

んでまぁ、ほら。馬だったわけよ。牡馬《ぼば》ね。落ち着いた頃にふと気付いたよ。

『女のケツを並べてパコパコ犯しまくる生活がしたい』って、あぁ。なるほど種馬になれってことかってさ。あの偉そうな声は俺の願いを部分的にだが叶《かな》えてくれたらしい。あほかと思ったね。

知ってるか？　種馬って春になると一日3、4頭と交尾するんだって。それを春のシーズンの二〜三ヶ月ずっと。人間に直すと羨ましいような、恐ろしいような生活だな。出来れば人間のままそういう生活が送れるようになりたかったんだけども。

いやね、まぁ、たしかに俺はそう言ったけどね？　馬になるとは思わないだろ？　自棄《やけ》になりかけたりしたけども、走らない競走馬の行く先なんてもう食肉なわけよ。コンビーフとか動物用の飼料とかにね。死ぬのはご免だからそら頑張るしかなかろうぜ。

てことで頑張ったのよ、俺。最初牧場の人たちが知らない言葉で話すし金髪碧眼《へきがん》だったりとかたから、馬になったついでに異世界転生でもしたのかと思ったよ。

したらねー、どうやらフランスだったらしいぞ。牧場のおっちゃんが読んでる新聞かっぱらって色々調べてよーやく分かった時はほっとしたぜ。とりあえず俺の知ってる競馬と同じものだった事が分かったわけだし。

まー頑張ったね。調教も真面目にやったし、走り方も色々工夫してみたりしたよ。そしたら勝てるのね。人間だったころはあんま足速かったとか、そういうの無かったと思うんだけど、まー、レースで勝つわ勝つわ。というか俺負けたことないしな。

なんで負けないのかって？　都合よすぎ？　そりゃあんた陸上部で鍛えてる奴《やつ》とただ足の速い奴じゃどっちが速いのかって話よ。馬ってのはその馬が走りやすい走法で走るんだが、それが一番速い走り方って訳じゃないのよ。ところが俺は速く走れる走り方ってもんを意識してやれるわけ。

気付いてからは楽勝じゃーんとか思ってたけど、やっぱ人でも馬でも才能ある奴はあるんだよな。俺でもそーとー必死にならなきゃ負けるような馬が結構いんのね。全部返り討ちにしてやったけどな！

まぁそれも過去の話よ。ちょっと意識飛んじゃう位今現在ヤバいしね。らしくもなく自分語りなんてしちゃってる訳よ。

ヤバイってか痛てぇ。腰んとこちょー痛てぇ。

つかこれアレじゃね？　さっきからやたら色々考えられてるけど、死ぬ間際の走馬灯ってやつ？　走る馬が見る走馬灯って誰が上手い事言えってやかましーわ。

『～～～ッ！　～～～ッ！』

あーあージョッキーくんも泣いちゃって。落とさなかっただろ？

痛いのお前じゃなくて俺なんだからそんなに泣くなって。

あーやべちょっとも一立ってられないわ。寝とこ。

こりゃ死んだな俺。腰だぞ腰。足ならまだしも腰いったら人でもヤベーよ。俺馬だぞ？

わーったわーった痛てぇんだからそんな触んな。もーほらペロペロしてやるから元気だせ。お前これからも馬乗るんだろ？　予後った馬にいちいち泣いてたら切りねーだろ。こっちが引くほどドライにいけよ。

おーおーお迎えがきたわ。そういや予後不良ってどうやって処置すんだろ。五寸釘《ごすんくぎ》で額をガツーンとかだったら嫌だな。無難に注射とか希望なんだが。

あー、最後に牧場の皆に会いたかったなぁ。今日も見に来てたからスタンドには居るんだろうけど、もう間に合わないか。ごめんなミーシャ。一番取れなかったよ。ごめんなジョッキーくん。怖い目にあわせてしまった。セルゲイのおっさんも、トレーナーのじいさんも、厩務員《きゅうむいん》くんも、すまねぇなぁ。こんな幕切れで。

しかし、なんだ。
負けるってのは
こんな形でも
意外と、悔しいもんなんだ、なぁ――…………

鐘の音が鳴る。
低く、低く。

一度。

二度。

三度。

海外の名馬列伝

ロンシャンの慟哭 〜ネジュセルクル〜

愛らしい容姿だった。話題に事欠かない問題児だった。人懐っこい馬だった。誰もが驚いた。誰もが笑った。速いだけではない。ネジュセルクルという競走馬は様々な感情を我々に与えてくれた。彼に悲劇は似合わない。いまでも、シャンティイの森に行けば厩舎《きゅうしゃ》の影からひょっこり顔を出すんじゃないか。トラックを走り回っているのではないか。全てが悪い冗談で、彼は元気で暮らしているんじゃないか。そんな事を考えずにはいられない。

それは、競馬に関わる者であるならば比較的ありふれた悲劇であった。しかし、それが凱旋門賞《がいせんもんしょう》という晴れ舞台で、誰に憚《はばか》る事の無い無敗の現役最強馬の身に起こったモノであったこと。その事が当事者だけではなく、業界全体へ悲劇の波紋を広げた。

腰椎断裂骨折。本来ならば競走馬に下されるはずの無い診断。ネジュセルクルという競走馬が持つ特異な走りが予想以上の疲労を溜《た》めていたためと思われる。

レースの映像と照らし合わせて推察するに（映像ではネジュセルクルは腰から先の力が抜けており、前肢だけで身体《からだ》を支えていた）下半身不随を予感させる、走ることでしか命を繋《つな》げない競走馬として、どころかサラブレッドとして致命傷と思える、痛ましい故障だった。少なくとも、担当の獣医はすぐさま予後不良と診断し、処置を執った。

鞍上《あんじょう》ユリス騎手は馬運車にクレーンで吊《つ》られて行くネジュセルクルへ向かって何度も呼びかけ、

関係者には鞭《むち》を振り回して抵抗した。錯乱していたと言って良い状態だった。彼らのタッグは新馬戦以前より始まっていたという。我々が考えている騎手と競走馬との関係より遥《はる》かに深い絆《きずな》を結んでいたのかもしれない。

その深い絆故であろう。ターフを遠ざかる馬運車とそれを見送りロンシャンの芝に泣き崩れるユリス騎手。『慟哭《どうこく》』と名付けられたこの写真は、サラブレッドと我々人間の関係性について、今一度立ち返らせるような、深い絶望と悲哀に満ちた一枚となった。

ユリス騎手はこのレース以後、精神的衝撃から立ち直る事が出来ず、騎乗を請け負っていない。盟友が砕け散る生々しい感触は今もって彼を蝕《むしば》み、三年経《た》った現在も彼の騎手免許は更新されておらず、受けた衝撃の大きさを物語っている。

我々はネジュセルクルのような素晴らしい才能を再び見ることが出来るのだろうか。ユリス騎手の鮮やかな手綱捌《さば》きを見る日は来るのだろうか。

あの日、我々が失ったものは、あまりにも大きい。

第一章 彼らの出会い

牧場ゆかりのスタミナ血統の牝馬《ひんば》に、かの三冠馬ゴールドフリートを付ける。誰に尋ねられたって、文句などあるはずもない配合だと中川貞晴《なかがわさだはる》は胸を張るだろう。

「80万～80万～他にありませんか～」


オークショニアが告げる無情の言葉。

これはなんであろうか。サダハルの脳が急速に色を失い灰色に染まっていく。

種付け料だけでも500万したのだ。それだけの金となれば、地方の零細牧場からすれば大きな危険を伴う額だ。

妻の制止を振り切った、門外漢の息子の小言も切って捨てた。ここが勝負だと命を張った、乾坤《けんこん》一擲《いってき》の金の卵が、80万？　80万？

喉の奥から呻《うめ》き声《ごえ》が漏れた。まるで波間に立たされているかのように足元が揺れる。赤字どころの話ではない。行き着く先は破産だ。緩やかな死だ。

結局この日、中川牧場よりセリに出された一頭の仔馬《こうま》は希望価格未満として生産者買戻しとなった。

「あら、マルちゃんも帰って来たのね」

そんな気がしていたのよ。

妻ケイコの声を脳が認識した時、サダハルは自宅兼牧場事務所のソファーで天井のヤニ汚れを鑑賞していた。長年に渡る喫煙で完成された一大絵画は、しかしサダハルの感情になんら訴えかける事も無く、煙であったころのようにそこで漂うだけであった。

虚《うつ》ろだ。

どこをどのように戻ってきたかは定かでない。現実として家に居るからにはどうにかして帰ってきたのだろう。馬を連れて。

「……そうだ、馬」

フリートの仔《こ》。種付けに500万円した。

サダハルの記憶が現世と接続された。茫然《ぼうぜん》とした足取りで馬房を目指す。あけっぱなしの厩舎《きゆうしや》へ足を踏み入れれば嗅ぎなれた寝藁《ねわら》と馬糞《ばふん》の匂いが鼻を突いた。三番目の馬房にその幼駒《ようく》はいる。

「ンヒ?」

人の気配を察知して栗色《くりいろ》の毛並みが顔を出した。つぶらな夜空のような漆黒の瞳が不思議そうにサダハルを見つめている。そして瞳と瞳の間、額に位置する部分には誰が見ても見紛《みまが》う事の無い、見事な見事な真ん丸の白い星があった(星、馬の顔にある白斑の呼び名の一つ)。

幼駒らしい頼りない四肢。見栄えのするはずである栗毛《くりげ》の馬体はどことなく毛艶に精彩を欠き、憚《はばか》らず言えば実に貧乏くさい風体だった。

その貧乏くささが嫌われて安値が付いた。

サダハルは膝から崩れ落ちた。三冠馬というフレーズが持つブランドに目を狂わされていた。成功こそしていないが長年馬産に従事した人間であるという自負がある。その己が告げるのだ。たしかに、貧乏くさい仔だ、と。

「お前よぉ、マルッコぉ。せっかく父親と同じ栗毛に産まれたんだから、もっと金持ちが擦り寄ってくるような雰囲気だしてくれよぉ。じゃなきゃお前みたいな貧乏っちい馬が売れるわけないだろぉ？」

鼻先を撫《な》でながら語りかけられた何様かつ今更な言葉に、マルッコと呼ばれた幼駒は目と耳を吊《つ》り上げた。

「ブヒッ！」

「うわ！　いってぇ！　おめぇ噛《か》むこたねぇだろ！」

「ンビイッ！」

「あなた。そんなこと言われたらマルちゃんだって怒るわよ」

「あぁ？　馬が人の言葉を分かるわけねぇだろケイコ」

サンダルを引きずる音に顔を向ければ、長年連れ添った妻が幼駒とのやりとりをけらけら笑っていた。

「あら？　そうかしら。マルちゃんはお利口さんだから、私達《たち》が何を言っているのか分かっている気がするわ」

「んなワケねェーだろぉ。だったらなマルッコ。お前見てくれだけは可愛《かわい》いんだから、そこら歩いてる金持ちに媚《こび》売ってこい。きっとその中からお前の新しいオーナーも見つかるぞ」

「ヒン」

「ほら。あなたの言ったこと馬鹿にしてる」

「鳴いただけだろーがよ。あぁーもう、どうすんだこれからぁ！　アテにしてた金も入らないんじゃ、いよいよ牧場畳むしかねぇんだぞ!?」

「そうねぇ。マルちゃんのお母さんも死んじゃったし、牧場に残っている馬ももうマルちゃんだけだものね。そうなったら寂しいわね」

「寂しいだけじゃ済まねぇぞ。フリートを種付けするのにだいぶ無理しちまったから借金だってある。俺ももういい年だし、お前を養わなきゃいけねぇってのに」

「別にパートでもなんでもしながら暮らしますよ。牧場を整理したら二人で畑でもやりながら暮らしていけばいいじゃないですか」

「おめぇ、それでいいのか？」

「えぇ。結婚する前からいつかこんなことになるんじゃないかって思っていたもの。そんな事気にしていたら、零細牧場の息子となんか一緒になったりしませんよ。でもね」

哀愁漂うサダハルとは対照的にケイコは飄々《ひょうひょう》としていた。ぐずる幼駒の首筋を撫でながら「この仔が全部なんとかしてくれるんじゃないかしら。なんだか私、そんな気がするわ」と、内容に反して何某《なにがし》かの確信めいたモノを感じさせる口ぶりで告げた。

「なんとかってのは何だよ。稼いでくれるってのかいコイツが」

「ええ。たくさんレースにでて、いっぱい賞金を稼いでくれるわ、きっと」

「んなわきゃねぇって……」

はぁー、とサダハルは深い溜息《ためいき》を吐《つ》いて項垂《うなだ》れた。その肩を幼駒がスピスピ鼻をならしながら突っつく。鬱陶しげに押し返しながら、

「分かったよ」

まだまだ体高の低い幼駒を見上げる顔は諦念に塗《まみ》れていた。己の無能さを突きつけられたばかりだ。やはり妻ほど楽観的にはなれない。だがそれでも、確かに前を向いて顔を上げていた。

「こいつが走るところ、見届けてやろうじゃねぇか」

「牧場はマルちゃんの走るとこ以外、畑にでもしちゃいましょうか。きっと少しは食費も浮くわ」

「自転車操業ここに極まれりだわな」

サダハルとケイコは顔を見合わせて笑った。

やがて宣言どおり中川牧場は規模を縮小し放牧地の半数を畑に転用。少ない操業資金の中、唯一飼育していた幼駒の育成に専念し、ついに地方競馬である羽賀競馬所属、小箕灘《こみなだ》厩舎へ入厩《にゅうきゅう》させたのだった。一人息子の大学受験よりも手がかかったと二人は笑う。

入厩後もマルッコと呼ばれていた幼駒がいつでも戻ってこれるよう、放牧地は残されたままだっ

た。

「おーいマルッコー。そろそろ戻るよー」

座間《ざま》邦子《くにこ》は沖へ向かって声を投げた。すると海面から顔を出している不気味な三角形がこちらを向いた。よくよく観察すればそれは馬の顔だった。

〝沖で泳いでいる馬〟は呼ばれる声に誘われ、ざぶざぶと砂浜へ上がり、湿った身体《からだ》をぶるりと震わせ水気を切った。晩秋にさしかかろうとも九州はまだまだ暑い。濡《ぬ》れたままの馬体であっても、いくらもすればすぐに乾く事だろう。

かつて中川牧場で暮らしていた幼駒は、いまや立派な競走馬へ成長していた。大きくはなったもののの相変わらず貧相に映る４２０ｋｇの馬体が、父親譲りの栗毛もどこかくすんで見せる。されどもくりっとした眼差《まなざ》しと額の丸い白斑、人懐っこく癖のある性格には触れる者皆を和ませるような愛嬌《あいきょう》があった。

クニコもこの馬の愛くるしい見た目にヤラれて担当を申し出たクチだ。その時はまさかここまでの癖馬だとは思っておらず、単に可愛い馬の担当になれてラッキーくらいに考えていた。

可愛い馬ではある。たぶん頭もいい。でも競走馬としてはどうだろうか。勝てなかった競走馬の末路を知るクニコはそのことが心配でならなかった。

「お前も来週にはデビューかぁ。ちゃんと走れる？　お前がコースでまともに走ってるとこなんて見たことないぞ、マルッコ」

サタンマルッコ。愛らしい見た目に反して厳《いか》つい名前を付けられた馬は、頭絡と手綱を取り付けられながらクニコの言葉に欠伸《あくび》で応えた。

ふいにその黒い瞳が沈み行く夕日に向けられる。遥《はる》か遠く、水平線の彼方《かなた》を見つめるように。

「どうした？」

「ひーん」

そら帰るぞ。

まるで逆の立場で促されるようにクニコは歩き出した。

◆

《スタートしました、サタンマルッコ好スタート他はまずまず揃《そろ》ったスタートになりました。外から猛然と、⑤番サタンマルッコ凄《すご》い勢いでハナを取りに行く。鞍上《あんじょう》タカハシ騎手は手綱を抑えているが全く止まらず2馬身3馬身……これは完全にかかってしまったか暴走気味だ。

後続は①番ミラカネムル③番アスタコンコン、④番ナナカイ②番ホエールマシーン追走、最後方⑥番カスタネットプランといった体制で⑤番サタンマルッコだけが4コーナーを回って一周目のスタンド前を通過していきます後ろとは20から25馬身。

さあ二周目の1コー……ん？　んん？　何故《なぜ》かサタンマルッコが脚を止めた息が上がったか？

サタンマルッコが外ラチ沿いへ走っていくのを横に見て後続が追い越し1コーナーへ。

どうやら故障ではない様子ですが何が、と思ったら再び追走。戻ってきます、戻ります、戻りましたサタンマルッコ。

先頭は①番ミラカネムルから③番アスタコンコン1馬身後方から④番ナナカイ②番ホエールマシーン外からペースをあげて⑥番カスタネットプランが行った、そしていつの間にかサタンマルッコも居る！　向こう正面先頭から後方まで殆《ほとん》ど差が無く馬群は一塊となっておりますが、ここで再びサタンマルッコ先頭に立った。3コーナーにさしかかり、なんと後続を突き放し始めています！

さあ残り200を切った、4コーナーを回りきりサタンマルッコ独走、リードは5馬身はある、未《いま》だ脚色は衰えずさらに後続を突き放す。これは大勢決したか、サタンマルッコ、リードを広げて今悠々と……ゴールイン！　間をあけて⑥番カスタネットプラン、③番アスタコンコンと入線していきます。

勝ったのは⑤番サタンマルッコ。

驚きました。暴走逸走なんのその、サタンマルッコです》

◆

この馬、強いのではないのか？

調教師小箕灘健《すぐる》は事務所のパイプ椅子にもたれ掛かり、現実味が無いはずの思考に囚《とら》われていた。

管理馬の小さな息遣いだけが響く夕方の厩舎に椅子の軋《きし》んだ音は良く響いた。

獣医資格を携え大手の育成牧場で働いていたこともあった。憧れだった調教師になるため、地元の羽賀競馬で厩務員《きゆうむいん》としてさらに下積み。地道な努力の甲斐《かい》があり所属する厩舎の管理馬を引き継ぐ形で開業。そこまでは順調だった。

分かっていた事ではあったが、地方の馬質では夢見ていたような名馬にめぐり合う確率は低い。それでもいつか自分の手で歴史に名を残すような名馬を送り出すために、毎日頑張ってきた。

中央の奴《やつ》になんて負けてやるか。俺だっていつか、どこかで必ず。地方の競馬関係者は多かれ少なかれそういった存念を抱く。

三戦三勝。それが小箕灘の思考を支配する競走馬サタンマルッコの持つ競走成績である。

全てのレースを5馬身以上の大差をつけて勝ってきた。それも、レース中は常時騎手と折り合わずムチにすら反応が無い、おおよそまともに走ったとは言えないような状態でだ。

勿論《もちろん》、結果だけを見れば疑いようもなく強い。一勝すらできずに消えていく馬が数多くいる中で、地方競馬と言えどデビューから無傷の三連勝をあげているのだ。

しかし、そうした色々がまやかしに思えるのがサタンマルッコという馬だった。

そもそも預けられた経緯からして小箕灘の記憶に中々ない珍妙なものだった。

付き合いのある中川牧場から珍しくオーナーブリーダーの馬を預かる。それ自体は珍しいだけで少し驚いたで済む話なのだが、その際付け加えられた言葉には度肝を抜かれた。

曰《いわ》く。金が無いから委託料を半分にまけてくれ。餌は半分でいいから。レースに勝ったら不足分以上で補填する。

気の弱いところのある小箕灘は取りすがって頼み込んでくる中川を相手に結局断りきれなかった。ともあれそれは外の話。預かった馬もまたとんでもない癖馬だった。

まず、調教で走らない。押せども押せどものんびりと走る。ムチで叩《たた》こうものなら騎手を振り落とす。普通、この一事をもって競走馬生命は終わるものなのだが、生産者兼馬主の中川氏に再び泣きつかれ、仕方なしに幾度も走らせようと試みてきた。しかし彼の馬が思ったとおりになったことはこれまで一度として無かった。

人間が嫌いなのかと思えばそんなことは無く、むしろ騎手以外には猛烈に人懐っこい。それが腹立たしく、もどかしさを掻《か》き立てるのだが、叱ったところでけろっとした顔をしてこちらの毒気が抜かれてしまう。くりくりっとした目と額の白いまん丸の星が織り成す愛嬌は、憎たらしいほど効果的に作用していた。

厩務員のクニコの話によれば、馬場では走らないくせに散歩で出かける砂浜では自主的に走り回るのだという。そのせいか小柄な馬体は少しずつ逞《たくま》しく成長している。調教では全く動かない癖に。まるで自分の身体の育て方を知っているかのようだと思ったのは一度や二度ではない。

更に、どうやら夜中に馬房を脱出して飼葉を盗み食いしている疑いがある。小賢《こざか》しい事に犯人、いや犯馬は証拠を残しておらず、人が居ない時間を狙って犯行を働くため目撃者も存在しない。

中々どうして調教師としての面目を潰してくれるおかしな馬だ。

実際、彼の馬に対して手も足も出ていないのだから、調教師として役に立っていないことは、渋々ながら認めなくてはならないとは思っていたが。

経験上どう考えても勝てるわけがない馬だと思う。

競走馬として生きていける馬ではないはずだ。

しかし勝っている。むしろ強いのではないかと思わされている。

全くもって常識が通用しない。ここまで来ると最早《もはや》底知れない何かを感じずには居られなかった。

「センセー」

表からクニコの呼ぶ声。小箕灘が表に顔を出すと、渦中の馬サタンマルッコと厩務員のクニコが連れ立っていた。どういう訳だかこの組み合わせはマルッコの側がクニコを連れて歩いているように見えて仕方が無いのだが、それはさておき。

「どうしたクニコ」

そこまで口にして小箕灘は違和感を覚えた。そしてその正体に気付く。

「……高橋《たかはし》はどうした？」

「あ、高橋さんは落ちたっていうか落とされたんで医務室行ってます」

またかと思いつつ小箕灘は溜息を吐いた。そんな様子にうっすら汗ばんだ栗毛の怪馬はそっぽを向いてどこ吹く風だ。

「で、なんだ？　調教は、まあその感じだとまともに走らなかったようだが……」

「はい。そうなんです。で、なんかこー……マルッコが動き足りなそうにしているんで、浜まで連れて行こうかなと思うんですけど、いいですか？」

浜。この馬が足繁《あししげ》く通うようになった所為《せい》で『馬の走ってる砂浜』として地元でも有名になってしまった檀柄《だんがら》海岸だ。

「それなら俺が連れて行く。クニコ、お前他の仕事がまだあるだろう」

「もーやだなセンセイ。ビクティールッカは放牧に出ているんであたしの担当はマルッコしか残ってないですよ」

「そう言えばそうだったな。まぁ、何かのついでだ。俺も行く」

厩舎から歩いて30分ほど。馬に跨《また》って道路を走ればもっと早いが、蹄《ひづめ》が傷むのでアスファルトで舗装された道を長く走らせるのは避けた方が良いとされている。当然態々《わざわざ》痛めつける趣味も理由もないので徒歩での移動となる。

そんな道のりを歩いた先、何の気なしに現れる入り江のような浜が檀柄海岸だ。

「それいけー！」

クニコの手から解き放たれたマルッコが砂浜を躍動する。夕暮れ時を弾むように助走をつけて走り回る栗毛の馬体はよく映えた。

小箕灘はそれを浜辺に下りる階段に腰掛け眺めていた。

思い巡らすのは先刻の思索。サタンマルッコというサラブレッドの実力についてだった。

「変な馬だ」

思わず口をついて出たそんな言葉。

変な馬。そうだ、変な馬だ。それは間違いない。

じゃあ強い馬なんだろうか。そりゃ強い。少なくとも負かした馬よりは。

なら、どの程度強い？

「……いつかどこかで、ってか？」

サタンマルッコで中央参戦。その考えが過《よ》ぎらないでもない。

地方の馬で中央の馬を倒して回る。それを夢見て毎日地道に努力を続けてきたはずだ。しかし現実は非情だ。繰り返しの努力程度で易々《やすやす》と打ち破れる壁ではない。それを知っているから腐りながらも『いつかどこかで』と夢みたいな事を唱え続けるのだ。

長年馬を見てきた己の観察眼は、普段の様子からサタンマルッコが競走馬として大成できない馬だと判断している。

だが予感がする。知識に拠《よ》らないただの勘。あるいは説明できない運命のようなもの。

勘違いならそれでいい。間違いだったら笑われよう。それでも、やらずの後悔だけはしたくない。

いつかは今だ。

どこかはここだ。


風が吹く。迷いの霧は晴れ、視界は澄み切っていた。

「中央のレースに出したい？」

夕焼けの中川牧場。窓ガラス越しにかつて放牧地だった柵の中に野菜が実る奇妙な景色を眺めながら、小箕灘は生産者兼馬主の中川に中央参戦の旨を語った。

「ええ。出走条件も満たしているし、この馬なら十分戦えると判断しています」

小箕灘の提案に、中川は涎《よだれ》を垂らしそうな顔になりかけてから「まてよ」と持ち直して中途半端で奇妙な面持ちで口を開けた。

「いやそら、いけるんなら行ってほしいけども……勝てます？」

経営状態の悪化が深刻であった中川牧場だが、マルッコの勝利のおかげで一息つくことができていた。賞金はそれこそ涎が出るほど高いが、馬質（競走相手の強さ）の上がる中央よりも、前走の様子から無難に勝ち上がれる羽賀競馬で使ったほうがよいのではないか、そんな守りの考えも中川の脳裏には過ぎっていた。

「勝てます。私が思うにあの馬、ひょっとしたらとんでもなく強いんじゃないかと」

「やー、そういってもらえっと嬉《うれ》しいけどね。ゴールドフリート産駒《さんく》の成績みてると、あんま期待できないんじゃないかとも思うんですよ」

小箕灘は畳み掛ける。

「マルッコは違います」

自分はそこまで気が強い方ではない。小箕灘はそう思っていた。

予感がする。

ここで己が意見を曲げてしまったら、あの訳の分からない変な馬は一生日の目を見ずに終わると。

曲げてしまった何かの力があの馬の運命さえをも歪《ゆが》めてしまう。そんな想《おも》いに駆られていた。

妄想であるかもしれない。いやきっとそうだろう。だけど。

小箕灘はらしくもなく凄みを利かせて言い募った。

「手続き諸共《もろとも》含めて、三月中に中央の条件戦へ出走します。この時期ですと出走はくじ運次第ですが、とにかく手当たり次第に行きます。芝でもダートでも、マルッコなら必ず勝ち上がります。見ていてください」

「お、おぉ……じゃあまぁ試してみましょか。けど、ご存じの通り経営が一杯一杯なんで、二度負けたらこっち戻すってことでいいですかね？」

「問題ありません。なにせ――」

馬に対してトレーニングで貢献できないのなら。

大言壮語も吐いてやろう。それであの、訳のわからない馬が走る舞台を手に入れられるのなら。

それこそが調教師としての仕事だろう。

最早小箕灘は魅了されていたのかもしれない。夢を見ていると言い換えても良い。サタンマルッコという、競走馬の枠組みで語るには少々規格外すぎる正体不明のイキモノに。

「マルッコはダービーを獲《と》る馬です」

DELTA
Sport
DELTA
Move

幾度かの出走除外を経た三月の三週目。阪神競馬場第7レース3歳1勝クラスにサタンマルッコの姿はあった。その姿は競馬専門チャンネルで放送されており、羽賀の中川牧場では牧場長とは名ばかりの半農家、中川貞晴が固唾《の》を呑んでテレビ画面を見守っていた。

「そんなに緊張するんだったら見に行けばよかったじゃないですか」

そわそわと落ち着かないサダハルを見かねて、温《ぬる》めのお茶を出しながらケイコが言った。先ほど熱々のお茶を出した所熱いと怒鳴られたからだ。そういう態度から、この気の小さいところのある旦那の精神状態がまともじゃないことを察しており、そこまで気になるんだったら旅費などケチらず気の済むようにすればよかったのだと、言わずともよい事をつい口にしてしまった。

「うるさい！　テレビの音が聞こえないだろう」

案の定うるさがられる。そんな態度も慣れた物だ。長年連れ添った旦那の態度に肩をすくませ、隣に腰掛けた。居なくなると居なくなったで寂しがるのだ。

「中央のレースの賞金は条件戦だって700万を超えるんだ。ぜんぶがぜんぶウチのもんってワケじゃあねぇが、オーナーブリーダーでやってりゃ半分は取れるんだ。350万つったら一年暮らしていけるぞチクショウめ……」

サダハルはイライラと何度もボタンを押し間違えながら、テレビの音量を上げた。

『さて第7レースパドックの様子を見ていきますが……何やら渋滞しています』

テレビからは女性アナウンサーの声が流れる。しかし常ならぬ戸惑いを含んだ声音だ。

『①番のサタンマルッコでしょうか。周回に従わず足を止めているようです』

声ならぬ呻きをケイコは聞いた。側《そば》の旦那が喉か胃かどこかから出した音であるらしい。

『あ、今二人引きになりましたが、ああ……微動だにせず。竹中《たけなか》さん。①番サタンマルッコ微動だにしていませんね』

『すごいですねぇー。調教師の先生ですかね、あんな斜めになって思い切り引っ張ってるのに微動だにしてませんよ。えぇ。長年競馬見てますけどねぇ、こんなの初めて見ますよ。首が強いんですかねぇ？

馬も何してるんでしょうねぇ。イレ込んでいるだとか怯《おび》えているとか、そういう風には、えぇ。ちょっと見えないんですけれども。ねぇ、向こうの音マイクとかで拾えないの？ あぁ中継できる？』

「ハ、ハハハハ。そうだそうだいいこと言ってるぞ竹中ちゃん。うちのマルッコはなぁ、最強なんだ！ ワハハハハ！」

《こちらパドックの国立《くにたち》です。①番のサタンマルッコですが、現在『マルッコォ！ 歩くんだよォ！ ここぁ羽賀じゃねーんだぞ！』は外側に寄せられて、その内側を各馬周回しておりま『クニコォ！ もっとリキいれろリキ！ いくぞぉ、せーのぉーフンッ！』す。サタンマルッコは、なんでしょうね。何か見てますか？ あ。スマホ見てますよ。パドックに来てるお客さんのスマホをじーっと見つめていますね》

『もしかしてポーズきめてるんでしょうか』

《あ！ 『おわー！ バカ野郎急に動くな！』今動き出しました！ 斉川《さいかわ》アナの言うとおりかもし

れません！　ちょうどこう、お客さんがカメラ下ろしたタイミングでスッといきましたね、はい》

『なんだか大変な事になっているようでしたね。それでは改めまして竹中さん。各馬のパドックでの様子を窺《うかが》ってまいりましょう』

「あらあら。小箕灘センセもクニコちゃんも顔真っ赤にしちゃって大変ねぇ。マルちゃんも無事に走ってくれればいいのだけれど。ねぇあなた」

ケイコは急に静かになった夫を見やる。

サダハルは下唇を噛んだ憤怒と悲哀の表情で白目を剝《む》いて気絶していた。

うるさいし、レースが終わるまでこのままにしておこう。ケイコはそう決めて画面に視線を戻した。

◆

「それでは阪神７Ｒの模様をお届けいたします。実況はラジオＮＫ河本《こうもと》アナウンサーです」

《阪神7R3歳1勝クラス1600m芝。パドックではある意味大暴れした①番のサタンマルッコですが、どうやら枠入りはすんなりいった模様。各馬続々とゲートインし、最後に⑯番ハピネスハネルヨが収まりました。係員が離れて今……スタートしました。

ややバラバラっとしたスタート、⑦番ミヤノステートあたりダッシュがつかない。

スーッと上がっていったのは白い帽子内①番サタンマルッコ。

おお、猛然と駆けて行き先頭に立って尚《なお》行く。鞍上高橋義弘《よしひろ》騎手が手綱を引いているが尚も抑える気配が無い。これはかかり気味か折り合いがついていない様子。これを見て⑪番ナカノシンコウ⑯番ハピネスハネルヨは外からやや控えた形。

二番手集団は先頭から3馬身ほど切れて④番ファッショネス⑪番ナカノシンコウ。

外から位置を上げつつ人気の⑨番スティールソード外目を追走②番ゲットダウンですが先頭のサタンマルッコがぐいぐい差を広げてあっという間に10馬身ほど差を開けて一頭だけ3コーナーにさしかかっています。高橋ジョッキーは手綱を引くも意味を成さず暴走気味。大逃げ、大逃げと言ってよいでしょう大逃げで残り８００を通過。差は開き15馬身と場内はややどよめいております。

二番手集団は先頭が変わらず④番ファッショネスその外を、あぁ手が動いている②番ゲットダウン縦川《たてかわ》騎手抜きにかかって4コーナーの中間ですが前は果たしてどうなのか。

後方集団が一気にペースを上げてきたが先頭①番のサタンマルッコとの差は10馬身ほどあるように見える。後方集団は届くのかサタンマルッコは粘れるのか一足先にサタンマルッコだけが直線へ入る！

さあ各馬追い始めた。追い始めますが、なんと、差が、縮まらない！

サタンマルッコまだ先頭。サタンマルッコ脚色がいいサタンマルッコがまだ先頭リードは7馬身。坂を上るがまだ息がある！　いやこれは伸びている！　サタンマルッコリードを保ったまま！　縮まらない！　後方は④番ファッショネスが二番手その外からスティールソードが伸びているが、前との差は縮まらない！

残り200を通過！　これは、なんということでしょう！　どういうことだ！

サタンマルッコだ！

大勢決した！　周りには何にも居ない！

どこからどうみても、これは、サタンマルッコ！

今、ゴールイン！

二着入線には⑨番スティールソード、1馬身ほど空いて三着争いは④番ファッショネスと⑯番ハピネスハネルヨか。外⑯番ハピネスハネルヨがやや体勢有利か。

お手持ちの勝馬投票券は確定までお捨てにならないようお気をつけください。

勝ったのは羽賀競馬から中央初参戦の①番サタンマルッコ。勝ち時計は1分33秒1。上がり3F《ハロン》は36・1。勝ったサタンマルッコの鞍上高橋ジョッキーは中央初勝利となりました。

終始折り合わずの競馬で押し切り。圧巻の内容でサタンマルッコが勝利を収めました》

「勝ったのは①番サタンマルッコ。直前のオッズでは十三番人気の78・4倍。二着は一番人気⑨番スティールソードまではすんなり掲示板に表示されています。さて、ということだったのですが、阪神7R。如何《いかが》でしたか竹中さん」

「やーあーすごいもの見ちゃいましたねェ。勝ったサタンマルッコの勝ち時計が1分33秒1。これは現三歳馬が走った去年のAFSの勝ちタイム1分33秒0に肉薄するタイムでありますから、勿論それだけで立派な時計な訳ですけれどもね。すんなり逃げに立てる瞬発力。それから鞍上と喧《けん》嘩《か》しながら最後まで脚を残していたスタミナ。道中大差が開きかけましたが、あれはかかっていたサタンマルッコを見て、潰れると見た後ろがペースを落とした結果の差であったように思えますねェ。

８００ｍ通過が45秒で１０００ｍ通過が57秒。マイル戦としてはままある時計ではありますが、この時期の馬がやれるかって言ったらまぁー大したものであると言えるでしょう。これは今年のクラシック戦線に面白い存在が名乗りを上げたと思って良いんじゃないですかねェ。

それに二着に敗れはしましたけれどもね。⑨番のスティールソードなんかも33秒台で走破していますよ。道中ペースを落としたことを考えれば十分優れたパフォーマンスであると見れます。先が楽しみな馬と言えますねェ。今日の馬場でこのタイムなら普通勝ちますよ。ただ今日は相手が悪かったとしか言いようがありませんねェ。

これは期待しちゃいますねェ。この時期ですから皐月《さつき》賞は間に合わないにしても、勝ち上がればダービーにはいける訳ですから。地方所属馬によるダービー制覇。そんな夢を見させてくれる、圧巻のレースでしたね」

「ありがとうございます。ちょうど掲示板も確定したようです。一着①番サタン――」

阪神 7R のパドックｗｗｗｗｗｗｗｗｗｗｗｗ

1 名無しさん@競馬板 20NN/03/NN ID:xxxxxxxL0

馬引き顔真っ赤ｗｗｗｗｗｗｗｗｗｗｗｗ

---

2 名無しさん@競馬板 20NN/03/NN ID:xxxxxxx/0

まずどこの番組か家

---

3 名無しさん@競馬板 20NN/03/NN ID:xxxxxxxK0

ミドリチャンネルだろ？
竹中が初めて見るとかいってるけどこれ相当だろ
てか馬引きのおっさんの顔が必死すぎて草生えまくる

---

7 名無しさん@競馬板 20NN/03/NN ID:xxxxxxxt0

みれねーから詳細はよ

---

10 名無しさん@競馬板 20NN/03/NN ID:xxxxxxx40

スッ、じゃねーよｗｗｗｗｗｗｗ

---

11 名無しさん@競馬板 20NN/03/NN ID:xxxxxxxu0

スツｗｗｗｗｗｗｗｗｗｗｗｗｗｗ

---

13 名無しさん@競馬板 20NN/03/NN ID:xxxxxxxf0

国立ｗｗｗｗｗｗｗｗｗｗｗｗｗスｗｗｗｗｗｗｗｗｗｗｗ

---

15 名無しさん@競馬板 20NN/03/NN ID:xxxxxxxQ0

声むっちゃ入ってる

---

16 名無しさん@競馬板 20NN/03/NN ID:xxxxxxxr0

パドックの男アナウンサーと斉川アナの温度差がわろける

---

23 名無しさん@競馬板 20NN/03/NN ID:xxxxxxxL0
>>7
阪神 7R1 勝クラスのパドックで 1 番のサタンマルッコが静止芸
そのせいで大渋滞
馬引きの厩務員と調教師っぽいおっさんが全力で引くもビクともしない
おっさんｓさらに息む→顔真っ赤
かとおもったら突然スッと歩き出しておっさんｓすってんころりん
コントかよとおもった

---

43 名無しさん@競馬板 20NN/03/NN ID:xxxxxxxe0
てかなに本当にこの馬スマホ向けられてポーズとってたの

---

46 名無しさん@競馬板 20NN/03/NN ID:xxxxxxxW0
（サタンマルッコが堂々と映っている画像）
やったぜ
だんだんびびって手振れやべぇ

---

50 名無しさん@競馬板 20NN/03/NN ID:xxxxxxx30
>>46
お前ｗｗｗｗｗｗｗｗｗｗｗｗｗｗｗｗｗ

---

51 名無しさん@競馬板 20NN/03/NN ID:xxxxxxxt0
>>46
威 風 堂 々

---

57 名無しさん@競馬板 20NN/03/NN ID:xxxxxxxs0
>>46
目可愛いなおい

---

63 名無しさん@競馬板 20NN/03/NN ID:xxxxxxxW0
>>51>>57
いやまさか足止めるとは思わんわ
愛着湧いてきたし単複応援馬券や
お兄さん許して１万でゆるして

65 名無しさん@競馬板 20NN/03/NN ID:xxxxxxxs0
>>63
おう坊主ハデにやるじゃねぇか
そんだけぶち込むなら許してやるよ

88 名無しさん@競馬板 20NN/03/NN ID:xxxxxxxp0
条件戦とかやらねーのに気になって見にきちまったじゃねえか

89 名無しさん@競馬板 20NN/03/NN ID:xxxxxxx70
>>88
俺もだ

95 名無しさん@競馬板 20NN/03/NN ID:xxxxxxx40
本馬場だと普通だな

96 名無しさん@競馬板 20NN/03/NN ID:xxxxxxxt0
別にイレ込んでるとかそういう訳ではない馬なのか

110 名無しさん@競馬板 20NN/03/NN ID:xxxxxxxW0
ゲートも普通に入った
たのむわ一勝ったら焼肉

111 名無しさん@競馬板 20NN/03/NN ID:xxxxxxxo0
>>110

お前当たったら焼肉どころじゃねーだろ
①単勝とか70倍とかついてんだぞｗｗ

116 名無しさん@競馬板 20NN/03/NN ID:xxxxxxxW0
普通に出た

117 名無しさん@競馬板 20NN/03/NN ID:xxxxxxxs0
サーッｗｗｗｗｗｗｗ

118 名無しさん@競馬板 20NN/03/NN ID:xxxxxxxj0
スッといってサーッ！

119 名無しさん@競馬板 20NN/03/NN ID:xxxxxxxu0
サーッ

120 名無しさん@競馬板 20NN/03/NN ID:xxxxxxxW0
うわだめだもろがかり

121 名無しさん@競馬板 20NN/03/NN ID:xxxxxxxi0
大逃げだ

122 名無しさん@競馬板 20NN/03/NN ID:xxxxxxxt0
おい追えよ

123 名無しさん@競馬板 20NN/03/NN ID:xxxxxxx70
あしのこしてる

124 名無しさん@競馬板 20NN/03/NN ID:xxxxxxxb0
あれこれかつんじゃね

125 名無しさん@競馬板 20NN/03/NN ID:xxxxxxxW0
ファーーーーーーーーーーｗｗｗｗｗｗｗｗｗｗｗｗｗｗｗｗ

126 名無しさん@競馬板 20NN/03/NN ID:xxxxxxxt0
おいｗｗｗｗｗｗｗｗｗｗｗｗｗｗ

127 名無しさん@競馬板 20NN/03/NN ID:xxxxxxxd0
勝ったｗｗｗｗｗｗｗｗｗｗｗｗｗｗｗｗｗｗ

128 名無しさん@競馬板 20NN/03/NN ID:xxxxxxx40
勝ちおった

129 名無しさん@競馬板 20NN/03/NN ID:xxxxxxx/0
勝つのかよ！

131 名無しさん@競馬板 20NN/03/NN ID:xxxxxxxs0
実況興奮して GI みたいなこと言ってたぞ

134 名無しさん@競馬板 20NN/03/NN ID:xxxxxxxW0
サンキューマッル（的中馬券の画像）
てかこの馬強くね？

138 名無しさん@競馬板 20NN/03/NN ID:xxxxxxxy0
パドックのせいで印象悪いけどレースだけ見てると強く見えるな
ただなんだこの父ゴールドフリートから溢れ出る駄馬臭というかネタ馬臭は

第二章

彼らの流儀

「やー！　よく勝ってくれたね高橋《たかはし》ジョッキー！　この調子で次の青葉賞も頼むよ！」

顔なじみといえば顔なじみの、中川《なかがわ》牧場長——即《すなわ》ちマルッコの生産者兼馬主の半農家、サダハルのご機嫌な笑顔に、サタンマルッコ主戦騎手高橋義弘《よしひろ》は引きつった笑みで応じた。

中央転入初戦を快勝。羽賀競馬とは雲泥の差の賞金を獲得した上、晴れてオープン馬となり目標としていたダービーへの前途が開けた現状に、一時は破産の影すらちらついていた馬主のサダハルが躁《そう》気味になるのも無理からぬ事だろう。

今夜はサタンマルッコの祝勝会。体重調整に苦心するジョッキーとて、このような祝いの場では酒も食事も進むものだが、高橋は陰鬱とした内心を表に出さぬよう苦心するばかりであった。

「センセイ、すみません。今日は俺帰ります」

礼を失さぬよう程ほどに酒と食事を摘《つま》み席を立つ。偶《たま》の美食も今日ばかりは苦いだけだった。何か言いたげな小箕灘《こみなだ》の顔を見ないよう、そそくさと退室する。

「あたしはねー中川オーナー！　初めてマルッコと顔を合わせたときからねー……絶対走るともってー、ましたー！　よー！」

「馬鹿言っちゃいけねーぜクニコちゃん。俺なんか生まれたときから思ってたからな！」

「あー！　じゃああたしは生まれる前からー！　アハハハハ！」

「じゃあ俺は種付け権買う前からだワハハハハ！」

背後で中川オーナーと厩務員《きゅうむいん》のクニコの笑い声が響いた。俺が居なくても宴《うたげ》は盛り上がるから平気だろう、と誰にともない言い訳を心の中で呟《つぶや》く。

関東とはいえ春先の夜はそれなりに冷える。やや冷たい風に襟を立てながらタクシーを捕まえる。酒でも呷《あお》りたい気分ではあったが、美味《うま》く感じないのは分かりきっていたので滞在中のビジネスホテルを行き先に告げた。

微《かす》かなエンジン音だけが響く静かな車内で高橋は己《おの》が内に潜む澱《おり》と向き合った。

地方競馬所属の騎手が中央で勝つ。しかも地方の馬に乗って。

そうかそれは確かに凄《すご》い事だろう。近年地方競馬のレベルは上がったと言われているが、やはり中央の壁は高く、最新の調教施設で鍛え上げられた名立たる良血達《たち》の前に弾《はじ》き返されている。そんな中順調に、どころか圧倒する地方馬サタンマルッコは羽賀の星と呼んでよいだろう。


で、お前は？


ネオンの向こうにぼんやり映る、酒焼けした目をした己に問う。

己は何であろうか。確かに羽賀競馬での新馬どころかデビュー前からサタンマルッコには乗っているが『乗っているだけ』だ。

高橋にとってサタンマルッコとは実に忌々しい馬だった。なにせ何一つ思い通りに動かない。最初のころはムチを打つ度に振り落とされた。調教師に苦言を呈すもなんとかしてくれと頼み込まればやるしかない。妥協してムチを打たずに乗ってみれば言う事を聞かず。

これでは乗る意味がない。いや、むしろ体重の分だけ邪魔をしている。

邪魔をしなければいいのだろうか。その想《おも》いは確かにある。だが、それはしないと調教師と話し合って決めたのだ。たとえレースで負けようとも、一度でいいからジョッキーの指示に従わせるべきなのだと。ジョッキーを顧みぬ競走馬など大成できようはずがないのだ。

車が止まる。金を払って降車し気鬱な身体《からだ》を引きずって部屋に戻る。そのままベッドへ倒れこめばもうシャワーを浴びる気も起きない。泥の様に思考の渦に飲み込まれる。

本来であれば、だ。

サタンマルッコはとっくに競走能力欠如として廃棄されているような馬だ。勝てず、育たず、そんな数多《あまた》居るうだつの上がらない夢破れた競走馬の一頭だったはずなのだ。

だが勝っている。1勝クラスとはいえ芝で勝てれば故郷に錦を飾る大金星だ。しかも次走はいよいよ重賞へ挑戦だ。ダービートライアル青葉賞といえばGⅡだ。その賞金たるや五着に入るだけで羽賀競馬のタイトル戦を上回る金額が手に入る。あの訳のわからない馬に乗って、そんな大舞台を未経験の自分が走る。

誇るべきなのだろう。だが、それが恐ろしくて仕方が無かった。

夢を見る。それは羽賀競馬で連勝したころから漠然と、中央で勝ち上がってからは日を追う毎《ごと》に明確な形となって現れる。

夢の中、己はマルッコに乗っている。芝のコース左回りの競馬場だ。４角を曲がり右手側は満員のスタンド。先頭を走る自分は歓声や罵声の津波をまっさきに浴びせかけられている。

その日もやっぱりマルッコは行きたがっていた。それを自分は抑えようとするのだが、結局４角まで折り合わずに来てしまう。だけど仕方ない。この馬のことだからここからでも走るのだろう。そう思って観念して首を押す。行け、とサインを出す。

けれどだんだんとマルッコは走るのをやめてしまう。どころか後方の他馬に追い抜かれる中、まるで底なし沼にはまったようにずぶずぶと身体が地中に沈んでいくではないか。

『お前のせいだ』

完全に地中へ沈みきった時、誰かがそう言う。

『お前がいなければもっと簡単だったのに』

或《ある》いはそれがマルッコの声なのかもしれない。

『お前には失望した』

それは小箕灘の顔をした何かが言ったように思えた。

『あいつさえのっていなけりゃな』

顔を知らぬ観客の誰かが言った。

『そうだ。使えない騎手は殺処分にしよう』

暗闇が突然首を絞める手に変わる。圧迫感にもがくが声も出せない。

『お前のせいだ。お前のせいで、お前さえいなければ』

やめろ、分かってる、役に立ってない事は、邪魔になっていることは分かっている。だからやめてくれ、そんなことは、分かっているんだ！


「…………――ぁぁぁあああああッ！」

夢はいつも、そこで覚める。


「そうか。降りるか」

「すみません先生。すみません。すみません。俺には、無理です」

日に日にやつれていく姿を見ていて、いずれはこうなるのかもしれないという予感は確かにあった。小箕灘は高橋の肩を抱きよせ、叩《たた》く。

「辛《つら》かったか。すまねぇな、苦労かけて」

高橋は今年で二十五歳。騎手としては中堅よりやや若手に分類される年齢だ。羽賀の厩舎《きゅうしゃ》で仕事を覚え、羽賀競馬で騎手として生活していた男だ。いつかは中央で、という野望はきっと抱いていたはずだ。だがいざその『いつか』が来た時、想像を超えるその重さに心が耐えられなかったのだろう。

羽賀生まれの馬を羽賀競馬の調教師が育て羽賀の騎手が乗り、中央に挑む。

小箕灘にとってマルッコの中央参戦はそういう側面もあった。実際に中央転入の際、馬主の中川から中央の騎手への乗換えを打診されたが説き伏せている。それが高橋の心に負担をかけ、こういった結末を迎えてしまったのだろう。苦い思いが残る。

泣きながら謝罪を繰り返す高橋を慰め、頑張ったな。とりあえず今日はもういいから休め、と帰らせた。

しかし――

事務所に戻り名刺入れを手に取り、そこから一枚の名刺を取り出す。中央に転入してからめっきり増えた名刺の中に、その名前はあった。

小箕灘は奇妙な符合を感じずにいられなかった。それというのは物事の流れ、運勢が、ここ最近……正確にはマルッコがデビューしてから、上手《うま》くいき続けているという事。

自助努力以外での成功体験など殆《ほとん》ど無かった人生だ。『上手く行く時』というのは、こういう事をいうのかもしれない。

番号をプッシュし、呼び出しを待つ。

「ああ縦川《たてかわ》さん…………ええ、はい。そうです。マルッコの騎乗依頼です。次の青葉賞からお願いできますか」

移籍に困れば旧知に助けられ、騎手に困れば声がかかる。

羽賀の人間で、という挑戦のひとつは頓挫した。しかしまだ一つだけだ。勝負は始まっていない。

縦川友則《とものり》。小箕灘はこの名刺を受け取った時の事を思い出していた。

◆

縦川友則。

騎手歴二十八年のベテランで、日本近代競馬の隆盛と共に成長した騎手といって過言ではないだろう。獲得GⅠ数28。海外重賞4。中央の国内GⅠに限ればほぼ全てに優勝歴を残す名手。しかしその名は畏敬の念より、中央重賞二着102回の珍記録への親しみを持って呼ばれることのほうが多い。

早い話が奇策の名手。騎乗も上手いが、より『競馬が巧《うま》い』タイプであるといえる。大逃げからのスローペース。早仕掛けからの死んだフリでペース攪乱《かくらん》。向こう正面から始まる超ロングスパート。『その馬はそれで勝てるのか？』と観衆の誰もが疑問を抱くそんな時、彼は数々の大穴をあけてきた。

無論、沢山の失敗や凡走も繰り返している。いい所まで行って勝ちきれない、そんな事の方が多い。だからこそファン達は目を離せない。画一的な騎乗になりがちな現代競馬で異彩を放つ存在。それこそが縦川友則だ。

キャリアも晩年を迎える彼には一つの目標があった。ほぼ全てのタイトルを網羅した彼だったが、たった一つ、たった一つだけ手にした事の無いタイトルがあった。

その名を東京優駿《ゆうしゅん》。日本ダービー。

そう、これだけのキャリアを持つ彼は、ダービージョッキーではなかったのだ。

過去14度挑み二着が5回。力の差のある二着もあれば、鼻の先僅かの差で敗れた二着もある。彼の父、縦川友助《たてかわともすけ》もダービー二着の経験はあれど優勝経験はない。

前例好きのメディアが『縦川の呪い』と呼ぶこのジンクスは、現役最後、打倒すべき目標へと姿を変えていた。


GⅠジョッキー列伝～縦川友則～

◆

その日は次走の青葉賞へ向けての調整を栗東《りっとう》トレーニングセンターで行っていた。

業界関係者からは外厩《がいきゅう》がどうのというバッシングはあるものの、羽賀の訓練施設と比べてやはり広いと感じるし、細かな部分への気配り――例えば馬場までの道の両脇が木々で覆われていたりだとか――やスタッフ全体に感じる馬への意識の高さは、流石《さすが》競馬の中心栗東トレーニングセンターであると小箕灘は感心しきりであった。良くも悪くも、調教後に頭絡と手綱だけで道路をウロウロさせていた羽賀とは違った。

スタンドから見る限り、マルッコはEコースの一周が長く横幅も広いダートコースを走るのを楽しんでいるらしい。軽快に駆け回っている。今日は火曜日なので強めの調教は施さず、ストレス解消程度の運動だ。とはいえ、マルッコは基本的に運動量が多い。特に栗東に来てからは与えられる飼葉が増えたため（零細経営の牧場の悲哀を感じずには居られない）これまでの分もと言わんばかりにモシャモシャ食べ、食べた分だけ運動している様子だ。そのおかげか、羽賀にいたころとは馬体も毛艶も見違えている。それは〝これならば〟という手応えを小箕灘に与えていた。

Ｅダートコースは一周２０００ｍ。既に六周は回っている。駈歩《かけあし》（キャンター。人間でいうところのジョギングに相当）とはいえ、若干走りすぎな感は否めないが、無理に止めるとヘソを曲げるため、いつしか気の済むまで好きにさせるようになっていた。脚の疲労は毎日確認しているから問題は無いと思われる。大丈夫だ。たぶん、と語尾が泳ぐ程度の自信ではあるが。

「あの、小箕灘先生でしょうか」

「ン？」

声をかけられ双眼鏡から目を離せば、小柄な人好きのする笑みを浮かべた男がいた。見覚えの無い顔。いや、どこかで見たような気もする。

「サタンマルッコを管理されている、小箕灘先生でよろしかったですよね？」

「あ、あぁ。はいそうです。私が小箕灘健《すぐる》です」

「あぁよかった。間違えたかと思いました。私、関東所属のジョッキー縦川と申します。一昨日の条件戦でゲットダウンっていう馬に乗っていました。小箕灘先生とはこれまでご縁が無かったので、ご挨拶に伺いました。よろしくお願いいたします」

ずいずいと前に来る縦川に仰《の》け反《ぞ》りながら、小箕灘は差し出された名刺を受け取った。刺激された記憶野の金庫から顔と名前を取り出して、ようやく目の前の人物の正体を掴《つか》んだ。

「これはこれはご丁寧に。こちらこそ良いご縁を、よろしくお願いいたします」

道理で見たことがある顔のはずだ。名にし負うトップジョッキーの顔は、テレビや新聞越しにいつも見ていたのだから。

内心、何しに来たのだろうと疑問に思いながらも、染み付いた習性で名刺を取り出し差し出す。

「ご丁寧にありがとうございます。センセイは、今日はサタンマルッコの調教ですか？」

「まあレース後だし火曜日なんで疲労を抜く程度の運動ってところですがね」

「そうなんですか。どこを走ってるんですか？」

「Eコースですよ。ちょうど今正面に戻ってきてますね」

「……あ、いた！　はは、楽しそうに走ってるなぁ」

「羽賀と比べてコースが広いからか、マルッコも楽しいみたいですよ。今日ももう六周してますし、この後もプールへ行きます」

「えっ、そんなに走らせて平気なんですか？　というかプールもやるんですか？」

「ええ。あの馬は羽賀に居たころは調教の後はいつも海で泳いでいたくらいで」

「はー。なるほどぉ。だからあんなに息が長いんですね」

これは何か探りを入れにきているのだろうか。レースを見れば分かる事ではあるので、小箕灘は取り立てて隠すことはせずに答えた。

「丈夫がとりえの馬なもので、みっちりやって身体が出来てきてますよ。おかげで中央でいい勝負できるくらいの武器になりました」

「凄いですよね。普通の馬じゃ、あんな喧嘩《けんか》してたら勝てませんよ」

「ハハハ、マルッコはずっとあんな感じですからねぇ。人懐っこい馬なんですが、走ることとなると途端に俺様気質でねぇ。なんとかしたいとは思っているんですが、どうにも」

厩務員のクニコを背に、マルッコは向こう正面へ駆けて行く。

「……サタンマルッコはダービーに出す予定で？」

「今のところ順調に進めることが出来たならってところですが、大目標としては」

「小箕灘センセイ」

遮るように、凜《りん》とした声だった。

「今年、僕、空いてます。いや、空けてあります。トライアルでも、ぶっつけでも、いつからでも乗れます」

「……私は思うんですがね、これは羽賀の挑戦なんです。羽賀の馬に羽賀の騎手。そういう側面を意識してるんですわ。だから今のところヤネを変える気はありませんよ」

「いつでも構いません。必ず空けておきます。ご連絡、お待ちしてます」

果たして会話は成立していたのか。縦川はそう言い残し去った。

縦川の消えた先を見送り、小箕灘は頭をかいた。

「評価してもらってるってことで、いいのかねェ？」

トップジョッキーの一角が乗りたがっている。あのマルッコに。

その事実に、小箕灘はなんだかくすぐったい様な心持ちになった。

結局、小箕灘は縦川が挨拶に来た話は誰にも伝えなかった。神経質になっている高橋には勿論《もちろん》悪影響であるし、中川オーナーの耳に入ればまたうるさく言われる事間違い無しだ。

とはいえ、この出来事自体は小箕灘自身の中では小さく、次走への調整の中で次第に埋もれていったのだった。


朝靄《あさもや》かかる栗東トレーニングセンター。須田《すだ》厩舎の馬房を間借りしているチーム小箕灘も関係者が作り出す喧騒《けんそう》の一部となっていた。

「えっ、じゃあ騎手《ヤネ》変えるんですか？」

「高橋も色々辛かったらしい。泣きながら詫《わ》びられたら、乗れなんて言えねぇよ」

「そうだったんですか……あの、センセ。あたしもマルッコの調教、一人だとケッコーしんどいなぁなんて」

「甘えんなそれは付き合え」

「ぐえー」

小箕灘とて栗東でマルッコに付きっ切りという訳ではない。羽賀の厩舎にも所属馬はいるので当然往復する生活になる。突き放した物言いとなってしまうが、まともなコネも殆どない栗東では、羽賀からマルッコに付いてきたクニコにやってもらうしかないのだ。

間借りで迷惑かけている以上、礼儀の問題として事務所前の掃除や飼葉の積み出しなどの雑務を二人でこなしながら、着々と調教の準備を進めていた。

「ブルル」

「あーはいはい待ってなマルッコ。検温終わったらな」

そんな二人を馬房の中から顔を突き出し、額に白丸輝くマルッコが見ていた。はやく餌寄越《よこ》せといわんばかりに喉を鳴らしている。

クニコが馬房の中に入り、体温計を引き抜く。他の馬はそうでもないが、マルッコは検温するときだけ妙に大人しくなる。クニコにはそれが少し不思議だった。

まぁ大人しい分には助かるからいいのだが、と今日の体温を記載する。熱発などもなく、問題は起こっていない。

サラブレッドは環境が変わるとすぐに体調に異変をきたす繊細な動物だが、ことマルッコに関してはクニコも小箕灘もあまり心配はしていなかった。この能天気な馬が居場所を変えた程度で不安がるとは到底思えなかったからだ。なんなら都心の騒音の中でも暮らせるんじゃないかとすら思っている。

「お前もなぁ、走るの好きなのはいいんだけど、付き合うあたしの身にもなってよ」

「ヒンッ」

やーだよーとでも言いたげに首を上げ下げしたマルッコの首筋を撫《な》でつけ、馬房を出る。マルッコの運動量はデビュー後の競走馬としては明らかに多かった。無論、引き運動にしても走りこむにしても、クールダウンにプールで泳ぐにしても馬だけでやらせるわけにはいかないので、調教助手も兼ねているクニコはその全てに付き合わなくてはならない。

「ほら見てよこの足。マルッコに付き合ってたらバスケ部の子みたいにカクカクになっちゃったんだぞー。返せあたしのすらっとレッグ」

必然、馬に付き合うクニコの運動量たるやアスリートの如《ごと》く上昇し、人生最小の体脂肪率を記録していた。羽賀に居たころはトラックで運動した後、近くの浜辺で好きに遊ばせていたので乗りの運動量はそこまででもなかった。競馬関係者として放し飼いのような真似《まね》はどうかとも思ったのだが、問題を起こしてないからよかろうなのだ。

見せられたふくらはぎに鼻先を近づけるマルッコは、やがてくせーとでも言いたげに鼻を鳴らして馬房の奥へ引っ込み、手持ち無沙汰なのか馬房の中をくるくると回り始めた。

「んで、誰が乗るんです？　センセ」

一段落ついてペットボトルのお茶を傾けている小箕灘へ尋ねる。

「縦川友則」

「へ？　縦川って、あのトモさんですか？」

「そうだよ。実を言うと、条件戦のあとすぐに営業に来てた」

「す、すごーい！　うわ、すごー！　えっ、すごくない!?　マルッコ！　マルッコ！　お前にトモさん乗るって！」

名前を呼ばれ、なんだよーといった感じの表情のマルッコが顔を突き出した。

「どういう訳だか……いや、俺達はマルッコが強い馬だとは思ってるから何もおかしい事はねぇんだが、向こうがそれはそれは乗りたかったらしくてよ。とにかく感触を確かめたいから暫《しばら》く調教でも乗せてくれってさ。だからクニコ、今日から暫く乗りはやらなくてよくなるぞ」

「お、おおおぉぉ……二重三重の意味でトモさん救世主だ……」

「ともあれ時間だ。引き運動頼んだぞ。昨日と同じでトラック二周、しっかりな」

「う、うへぇ……はぁい」

競走馬は準備運動として、犬の散歩のように手綱を持った人間と共に歩く。この時歩様（字のまま歩く様子）から怪我《けが》などの異変が無いかを確認する。

犬と違うのは馬の身体が大きいという点だ。そもそもの歩幅が広いので人間側はかなり早足で歩かなくてはならない。しかも必要とされる運動量も多いので、引き運動が終わるころにはつれて歩く人間は冬でもかなり汗をかく事となる。

実際のところ調教は引き運動の段階から始まるといえる。歩く事で鍛えられる筋肉と、走ることで鍛えられる筋肉は人間同様異なる。どちらかを疎《おろそ》かにした馬は必然的に怪我しやすくなる。競走馬の場合足の怪我は即命に関わる大事となるので、手を抜くことなどありえないと言える。

とはいえ、なまじ普段から運動量の多いマルッコである。引き運動の段階から他の馬より長く動く。

小箕灘の言う二周とは、一周２０００ｍのダートEコースを二周だ。それだけで４ｋｍ。競歩のようなペースで砂地を歩けば人は元より馬でも汗まみれである。引き運動は厩舎の周りを使ったりと場合によって様々だが、マルッコの場合歩く距離を考えてトラックを利用していた。

「よしマルッコ。歩きに行くぞ」

「ヒンッ」

分かったような嘶《いなな》きに、クニコの顔は綻ぶ。競馬関係者はなんのかんのと言っても馬が好きだ。ましてや愛嬌《あいきょう》のあるこの馬である。施設を出歩けばクニコに限らず、

「お、マルッコ。おはようさん」

「ヒンッ」

「マルッコ！　今日も元気そうじゃねえか」

「ヒーン」

「おうマルッコ」

「マルッコ」

「よぉまるいの」

「ヒヒィン」

すれ違うたびに声をかけられる。

控えめに言っても、栗東のおじさんたちは栗毛《くりげ》の丸いのにメロメロだった。


汗だくで引き運動から戻ったクニコは厩舎の前に小箕灘と見慣れない人影を認めた。

「お、ちょうどいいところに。おーいクニコ、こっちゃこい」

「なんだろうな?」

クニコは側《そば》のマルッコに尋ねてみるが、マルッコはしらないよとどこ吹く風だ。

厩舎の前まで来て見れば、人影は小柄な男性であると分かった。というより見たことのある顔だった。

「あっ! 縦川ジョッキー!」

「おはようございます。次走で小箕灘さんのとこで乗らせて頂きます、縦川友則です」

「おはようございます。やーマルッコ、ほらこの人が次のレースでお前に乗るんだぞー!」

ぺちぺち首を叩かれるのを鬱陶しそうにしながら、マルッコの瞳は見慣れぬ人物を見つめていた。

「以前見たときも思いましたけど、本当に丸い星ですね。可愛《かわい》い顔してる」

面白そうに縦川。

「地元でもこっちでも皆さんに可愛がって頂いてますよ。こいつ、本当に人懐っこいんで。ほらクニコ、こっち連れて来い」

小箕灘に促され側まで寄ると、マルッコが鼻をすぴすぴ鳴らしながら縦川に顔を近づけた。

「ははは、本当に物怖《ものお》じしない馬ですね」

幼い頃からサラブレッドと触れ合う縦川も慣れたもので、突き出た鼻面や首を撫でる。一先《ひとま》ず触れられているので嫌われてはいないようだ。

「マルッコは香水が嫌いみたいでねぇ。匂いのする人には絶対近づきませんよ。まぁその代わり……あ、縦川さんちょっとじっとしててくださいね」

「お、おおぉ？」

触れ合う程に近く、マルッコの身体がすれ違ったかと思うと反対側から顔が出てくる。まるで包むように身体をくねらせ旋回を始めた。

「コイツ、気に入った相手にはこれやるんですよ」

「え、えぇ……？　何なんですかねこれ」

馬の巨体に包まれる未知の感覚に、縦川はされるがまま棒立ちになりながら尋ねた。

「私らも分からんのです。まぁ、悪い意味は無いんじゃないかと。マルッコのやることですし一々気にしてたら切り無いんですわ」

「ははは……それにしても随分身体が曲がるんですね」

「身体は柔らかいですよ。乗り味も独特で、そこだけは評判よかったもんで」

「へぇ。楽しみだなぁ」

「じゃあ鞍《くら》乗せるんで、今日はさっき言ったようにCコースでお願いします。軽く追う分には構いませんので」

「はい。分かりました。よろしくな、マルッコ」

「ヒンッ」

「はは、返事した！　可愛いなぁ」

午前十時。攻め駆けするにはやや遅い時間のＣＷコースは人馬の影もまばらな模様だ。馬場口からコースに入った縦川とマルッコは広く使えるコースをゆったりと駆け出した。

跨《また》がった瞬間に稲妻が走るだとかそういう異形の感触はなかったな、と縦川は反芻《はんすう》する。そして歩くうち、やけに揺れない事に気づき、走らせた瞬間それははっきりと認識できた。

（この馬、身体が柔らかいだけじゃなくて、足も柔らかいのか。それに真《ま》っ直《す》ぐ走るなぁ）

ウッドチップのコースを駈歩《キャンター》させているだけだが、乗り味の差異にすぐ気付かされる。

ウッドチップがちりばめられているとはいえ、硬い事には変わりない地面を蹴ればその反発は自然と硬くなる。それがどうだろう。まるでスポンジでも踏んでいるかのような柔らかい反動。これは確かに、独特と言われるだけのことはあると縦川は感じた。

マルッコはいつもと違うコースが楽しいのかご機嫌で駆けている。爪先が躍り首を丸く使って振っている。人間だったら鼻歌でも聞こえてきそうだ。

気分よく走る馬だなぁと思いながらトラックを回る。馬の機嫌がよければ乗っている方も楽しくなる物だ。

二、三周すると背中がうずき出し始めた。小箕灘が事前に話していた、走りたがる兆候だった。

（こうなったら追っていいんだったっけ。ムチは厳禁。なるほど、これはなかなか技術が必要な馬だな）

騎乗技術も日進月歩。昨今では直線での追い込みでも極力鞭《むち》を使わない方が良いとされている。

理由には鞭を打つ瞬間の重心のズレが挙げられる。

小柄な体格である騎手が体長2m半の競走馬の尻を騎乗しながら打つには、かなり大胆に身体をよじって腕を伸ばさねばならない。振り返るように捩《ねじ》るという動作は可動部の多い複雑な動きだ。自然、身体の中心線がズレがちで、それが重心のズレに繋《つな》がる。

重心がずれると何故《なぜ》悪いのか。人間であればリュックを肩紐《かたひも》が長すぎる状態で背負ってみるのが分かりやすい。荷物の重さそのものは意識せずとも、歩くに合わせて揺れる動きは接触部分に気になる感触を生み出す。それが全速で走るともなれば大きく暴れ、荷物がない場合と比較してどれだけの差があるかは想像しやすいだろう。ましてやその中身が左右に動くとなれば言わずもがなである。

そうなれば鞭を打つ行為に代替する馬への合図があればよいわけで、そうして生まれたのが手綱を握る姿勢から打ちやすい前肢に鞭を打つ前鞭や、同じく姿勢を崩し難い見せ鞭といった技術だった。

これらは二つの意味で難しい。まず騎手の側がそうした鞭の扱いを左右両側で習熟する必要があること。次に競走馬の側にも「合図」として訓練しなければならないことだ。

（でも、この馬なら……）

ちょうど直線に差し向かう所だった。縦川は手綱をしごき、軽く首を押してやる。

合図を待っていたわけではないのだろうが、ちょうど背中を押されて都合が良かったのか、マルッコはそれに反応して足の回転を速めた。

視界の端を景色が流れていく速度が上がっていく。全力ではないもののギャロップ（襲歩《しゅうほ》。人間で言うところの全力疾走）のスピードと呼んで良いものに変わっていく。

（足の回転が速いし前肢の掻《か》き込み方が凄い。これだけ足が上がるなら、あの息の長さも納得だ）

サラブレッドの前肢は稼働する事で胸骨と連動し肺を膨らませる。肺の膨張は優れた呼吸器官から酸素を取り入れ、大きな心臓が全身に行き渡らせる。俗に言うスタミナのある馬の走りは押し並べて前肢の稼働率が高い。無論、備わる心臓など各種臓器がそれに耐えられなければ意味が無いため、その一事を以て才能の全てとするわけにはいかない。だが長距離、ないしは持続力という面においてステータスの一つとして上げられる要素だ。

騎手の制止を無視しながらも逃げ切ったスタミナの根源は走法にあったと縦川は推察していた。

（それにこれだけ足を動かしているのに全然横にブレない。本当に真っ直ぐ走るな）

ためしに左右へ向きを変えさせてみる。

縦川の手綱に「なんだよー？」と一瞬マルッコが首をもたげたが、ややあってリードに従うように身体を振った。左へ、右へ。その間スピードは殆ど落ちない。

（体幹がしっかりしてるって言えばいいのかな。そんな表現馬にしたことないけどそうとしか言いようが無い。身体も柔らかいから操縦性がすごく高い。凄いぞこの馬）

口元がにやける。己の感覚は正しかった。やっぱり、この馬だ。

だが一つ、大きな問題にも気付いていた。

美浦《みほ》にせよ栗東にせよ、トレーニングセンターでの出来事は噂《うわさ》になりやすい。

例えばどこそこの厩舎のあの馬が凄いだとか、あの厩舎のあの人が激怒していたとか、誰かが落馬で怪我しただとか。広いようで狭い場所に密集している業界のため、耳目に触れ易《やす》いのだ。

特に、春のGIシリーズの山場、ダービーを目前に控えたトレセンは、情勢を見逃さんとするトラックマンや取材記者らの織り成す喧騒で騒がしいとすら言えた。

そんな中、サタンマルッコの名はそれほど人々の話題に上る物ではなかった。

精々が『縦川が最近よく乗ってる馬』として名が挙がるほど。そういう気安さの中であるから、縦川も小箕灘が間借りしている須田厩舎を訪れるのは、人目を気にせずにいられて気楽であった。

「好きにさせる？　青葉賞で？」

既に何度か開催してお馴染《なじ》みとなりつつある作戦会議は、マルッコの馬房の前にパイプ椅子を並べて行われていた。小箕灘とクニコと縦川、怪しい三人組が顔を寄せ合う絵面に馬房のマルッコも
「なにしてるんだ？」と時折顔をのぞかせている。

縦川が口にした次走の作戦に対し、小箕灘は難しい顔をした。

「縦川さん。それではこの先難しいと、この前お話ししていたじゃないですか」

「ええ。だからマルッコにジョッキーの必要性を教える必要がある、そういう話でしたね。けどあれから考えたんですが、この馬の気質を考えると、トレーニングでどうこうっていう方法じゃ変わらないんじゃないかなと思うんです。ましてやレースで抑え付ける方法では一層のこと」

縦川の言葉を受け、クニコと小箕灘は馬房のマルッコに視線をやり「まあ、たしかに」と首肯した。今でこそ鞭を打たれると暴れると把握できているが、そうでなかった頃は調伏など考えられぬ制御不能の怪獣であったのだから。

「じゃあ、どうするんです？」

縋《すが》るようにクニコが訊《たず》ね、縦川は言葉を続けた。

「だからこそレースでなんとかします」

「なんとかって……」

あまりにもあまりな物言いにクニコが言葉を失い、見かねた小箕灘が口を開ける。

「縦川さん。次の青葉賞は一着が必須条件じゃない。ダービーの優先出走権は二着までだ。確かにそういう意味では余裕はあるが、マルッコの賞金額からすればこの優先出走権を取り逃がせばダービー出走は絶望的です。私もオーナーにダービーを取ると啖呵《たんか》を切った手前、出走すら出来ないのでは今後の関係にも支障が出るでしょう。元より我々は背水の陣なんです。勝てなくてもいい。けれど、何が何でも二着は欲しい」

当然、他陣営も同じ思いで青葉賞へ出走してくる。そも、青葉賞に出走する馬というのはダービー前哨《ぜんしょう》戦であるクラシック第一戦皐月《さつき》賞に間に合わなかったか出走したが敗れてきた馬達だ。それらがダービー出走最後の切符を求めて駆け込んでくる。そういうレースという側面もある。必死なのだ。

「まず小箕灘さん。小箕灘さんの目から見て、マルッコが十全に力を発揮した場合、青葉賞で敗れると考えていますか？」

「いや、そんな事は考えていません。私の考える能力的にも、実際の走破タイムを見ても、少なくとも二着以上の結果は残せると考えています。それ故の臨戦過程でもあります」

「僕もそう考えています。この一週間乗らせていただいて、かなりの確信を抱いています。その上で乗っていて気付いたことなのですが――」

初めてマルッコに跨ってから一週間。騎乗の土日と調整ルームの金曜以外は足繁《あししげ》く栗東に通いマルッコに乗り続けた縦川は用意しておいた資料を差し出す。

紙には数字の羅列があり、それがＩＣチップで記録されたマルッコの調教タイムであることはすぐに分かった。指で示しながら続ける。

「これとこれ、キャンターでもギャロップでもそうなんですけど、正確ではないにしろ、タイムが平たいんですよ」

「あ、ほんとだ」

クニコが間抜けな同意を示した。

「これがどうしたってんで？」

小箕灘が尋ねる。

「皆さんご存じの通り、今のところマルッコの調教は攻め駆けしない限り基本的に馬なりでマルッコのペースでしか走っていないですよね。跨っていて気付いたんですが、駈歩にしても襲歩にしても、この馬はラップを刻むように走ろうとしているんですよ。そりゃ我々騎手がやるように正確ではありませんが……このタイムが全く平らなところが直線で、ややズレが見られるのが曲がってるとき」

指摘され小箕灘も改めてデータを眺める。

確かに、そう言われて見れば指摘された通りであるように思える。いや、この場合背中に跨っている騎手の意見のほうが正確であるだろうと小箕灘は思い直した。

「なるほど確かに。それで？」

「はい。そしてこれは前走阪神１６００ｍ１勝クラスの時のラップです」

僕が後ろから見ていたレースですね、と苦笑と共に付け足して、別の資料を差し出す。

レースの勝ちタイムは１分33秒１。この時期の勝ち上がりタイムとしてはそれなり以上に優秀なタイムであるが、春先の阪神はかなりの高速馬場（好タイムが出やすい環境）のため、決着タイムそのものには数字ほどの意味は無い。

ラップタイムはこれまでのマルッコのレース運び同様、前半ちぎって後半持ちこたえる大逃げ気味のレース展開で、前半８００ｍを45秒５、後半を47秒６。後続各馬が４コーナーで引き付けられ、息を入れて加速したマルッコにスタミナですり潰された形だ。

数字からそれを認識した小箕灘は少なくない衝撃を受けた。なにせ、

「あれだけ騎手と喧嘩しながら、自分でレース作ってたってのか」

なまじ現地で見ていたせいで情報にバイアスがかかっていた。なにせマルッコはレース中、誰の目からみても『かかっていた』ようにしか見えていなかったのだ。

「これが前走の最終追い切りの時計です。6F《ハロン》しか見れませんが、気付きませんか?」

「……レースほどの時計でないのは当たり前だが、4Fはペースを刻んで、5F息を入れている?」

小箕灘の脳裏に引っかかるものがあった。

思い返せば、この追い切りもジョッキー高橋への指示は6F馬なりであったはずだ。結局6F過ぎてもマルッコは駆け続け、コースを一周していたような記憶がある。つまり。

「マルッコはレースで走る練習をしているってことか」

「ここ最近乗ってみた感じでは、おそらく」

それではまるで、次のレースで走る距離を知っているかのようではないか。

そんな事ありえるんだろうか。その考えは小箕灘の脳裏を当然過《よ》ぎった。しかし。

「こいつなら、やりそうだ」

この馬に限っては、なんでもありなのではなかろうか。そういう常識だとか非常識だとか、人が計り知れない部分に魅力を感じていたのだから。

「つまり、僕達は事前にマルッコが本番で走るつもりのペースを知ることが出来るわけです。それに逆らいさえしなければ、馬上で喧嘩することはなくなるでしょう。能力を十全に発揮させさえすれば、小箕灘さんの見立て通りこの馬がそう簡単に遅れを取るとは思えません。

だから、好きにさせる。その上で僕は次のレースでマルッコに必要とされて見せます」

「具体的には、何を……?」

「うーん、具体的にどうっていうのはちょっと分からないんですが……」

そう言葉を濁しつつ、縦川は手持ち無沙汰に飼葉を食《は》んでいたマルッコの額を撫でる。

「たぶんコイツ、競馬舐《な》めてるんだと思います。だから自分一人の力で勝てる……そんな風に考えてるんじゃないですかね」

それは小箕灘にしてもクニコにしても、大いに心当たりのある話だった。

「……縦川さん。お話は分かりました。レース中については一切お任せします。ただ、なんとか、なんとか二着まではしてやりたいのです」

「お任せください。これだけの馬に乗って二着に入れないなんて騎手の名折れです。それにね小箕灘さん」

縦川は茶目っ気のある笑みを浮かべて言った。

「これでも僕、リーディングジョッキーだったこともあるんですよ」


当事者よりも関係者の方が緊張する。物事は往々にしてそういう時がある。やるしかない立場と見守るしかない立場、双方の立ち位置の差であろう。

２０ＮＮ年４月30日府中競馬場のパドック脇では、結婚式のスピーチでマイクの前に立った新婦の父のような様相で、サタンマルッコ生産者中川貞晴《さだはる》は我が子の晴れ舞台を見守っていた。重賞のＧⅡともなれば平場とは人の熱気が違う。あてられてイレ込んだりしなければよいのだが、との心配をよそに周回中のマルッコはいつものように傍若無人だ。むしろ顔を青くしてあわあわしているサダハルのほうが押せば倒れそうな有様だ。

「小箕灘センセ。マルッコはどうですか」

パドックに現れてからすでに二桁回を超えたこの質問に『この人こんなに緊張するなら来なければ良かったのに』と小箕灘は内心思いつつ、

「いつも通りですよ。レース前にイレ込むとか、そういう所は見たことないですわ」

「でも今日はこんなに人がいて、それでマルッコがどうにかなっちまうんじゃないかって」

「大ぁぃ丈夫ですって。見てください。今日も元気に写真撮ってもらってますよ」

視線の先では向けられたスマホやカメラに反応して歩くペースを落とすマルッコの姿があった。いつも通りというか、見に来ている客の中にもそれを期待しているフシがあるらしく、なにやら恒例行事になりつつあった。職員の眼光が鋭い。マルッコを引いて周回しているクニコが肩身を狭そうにしていた。ふいにパドック再審査などというありもしない単語が小箕灘の脳裏を過ぎるが、ありもしない可能性を考えることほど無駄なことは無いと頭を振った。

「俺も行ったほうがぁ、いいんですかね？」

ちやほやされているマルッコの姿を見て何を思ったか、サダハルはこの日のためにクリーニングに出したのだといういラインの入った黄色のスーツの襟を立て、凛々《りり》しく顔を決め言った。

「いえ結構です」

どちらかと言えば先程までの「一着賞金が5400万、二着賞金で2200万……家がたつぞ」と虚《うつ》ろな顔で銭勘定していた姿のほうがファンに需要がありそうだ、などと考えつつ、騎手の騎乗合図を待った。果たして騎乗合図はすぐに行われた。

「中川さん、行きましょう」

「お、おう」

手と足を同時に出すサダハルの姿を見て、小箕灘はいよいよもってケイコ夫人が来てくれれば良かったのにと思わずにいられなかった。

小走りで駆け寄ると額に白丸を戴《いただ》いた栗毛の怪馬マルッコが「よう、さっきぶり」と言わんばかりに鼻先をぐりぐり押し付けてきた。相変わらずの暢気《のんき》な馬っぷりにどこか安心しつつ馬体に目を走らす。遠目に見て歩様に違和感はなく、こうして触れてみても不自然な発汗もない。半ば分かっていた事だが特に問題は見られない。

よし。と口の中で呟く。クニコに目をやると、頷《うなず》き返される。疲れるパドック周回だったが、彼女も引いている最中に異常を感じなかったようだ。

「小箕灘先生。中川オーナー。今日はよろしくお願いします」

そこへ縦川が現れた。今日の騎乗は1Rのダート競走以外はメインのみのため、パドックから乗る事となっていた。

縦川の登場にサダハルがしゃちほこばった。

「た、縦川さん。マルッコのこと、どうかよろしくお願いします。ほんまに、ほんまに頼んます！」

隣の小箕灘の苦笑から瞬時にサダハルの扱いを察した縦川は「全力を尽くします」と言葉短く返し、小箕灘の側に寄った。

「マルッコどうですか？　外から見てると落ち着いているみたいですけど」

「いつも通りでしょうな。むしろこれからレースだって分かってるか心配なくらいです」

「はは、そんな感じですね。マルッコ！　今日はよろしくな」

「ヒン」

分かったような返事に小箕灘と縦川は笑った。小箕灘の手を借りて馬上へ身を翻す。僅かも馬体を揺らさず騎乗は成った。そのまま周回コースへ引かれていく。

新聞紙半分人半分。内側から見るいつも通りのパドックを見やりつつ、引き綱を持つクニコと話す。

「騎乗してからはカメラを気にしなくなるんですね」

「そういやそうですね。前の時はそーでもなかったと思うんですけど」

「今日がいつもと違うという事を分かってたりするんですかね」

「さーどうでしょうね。あ、でもマルッコ、新聞読みますよ」

「新聞？」

「そうなんですよ。あたしが厩舎で読んでるとよこせよこせって首出してくるんです。それで試しに一枚あげると馬房に持っていって広げて眺めるんですよ。たぶんあたしの真似してるんでしょうけど、変な奴《やつ》ですよねマルッコ」

「変な奴だなーお前」

首周りをペシペシ叩くと、「それ程でもない」とでも言いたげに鼻から息を吐いた。いよいよ周回の先頭が本馬場へ向けて歩み出す。鞍のゼッケンは⑤番だが、例によって撮影会周回を行ったため地下馬道を進む隊列の最後尾に位置している。

さあ勝負だ。人馬のうちどちらともなく呟いた。


「ということで青葉賞のパドックでのまとめに入っていただこうと思います。竹中《たけなか》さんの推奨馬はいかがでしょうか」

「えぇ。今日の出来だとまず本命として①番スティールソードですねぇ。

馬体の仕上がりは完璧と言って良いのではないんですか。賞金的にはここを逃すとダービーが厳しいでしょうから、陣営としては当然の判断でしょう。パドックでも気合十分。気配アリと言った所ですねぇ」

「スティールソードは現在10・2倍の五番人気です。前走は一勝クラス2200mを勝ち上がってきています」

「対抗として⑫番マイザーアカウント。二歳時の2000m時計が優秀である点から今回の出走メンバーの中では、えぇ。上位ではないかと位置づけました」

「マイザーアカウントは現在①番人気。前走は一月のKC杯一着。その後皐月賞を回避して約三ヶ月ぶりの出走です」

「それから⑪番カイキブルドッグ、⑧番ホウユウアオゾラなんかもパドックでは良く見えましたねぇ」

「はい。⑪番カイキブルドッグは現在三番人気。⑧番ホウユウアオゾラは七番人気となっています」

「えー、最後に穴馬ですがー……えぇ。まぁ、これは穴馬と言うよりは私のねぇ、期待馬ということで⑤番のサタンマルッコを推したいと思います」

「ほうサタンマルッコ。⑤番サタンマルッコは現在十一番人気。前走は阪神1勝クラス1600mを快勝しております。竹中さん。このサタンマルッコですが羽賀競馬から含めて無敗でここまで来ておりますが、それにしては人気薄ですね」

「えぇ。この馬のレースっぷりが中々どうしてやんちゃなものですから。羽賀時代から騎手のいう事を聞かずにここまで来てしまったものですので、今回の2400mという長丁場では持たないと予想された方が多いのではないでしょうかねぇ。

先程私もね、確認したんですがね、実はこの馬の複勝は売れてるみたいなんですよ。なので逃げて粘って二着付け、あるいは三着付けでなら、と思われてるんじゃないでしょうか。

まぁそこを曲げて私はこの馬を本命にしたいところだったんですが、ちょっとあまりにもスティールソードの出来が良すぎるってことと、相変わらずサタンマルッコの気配が読めない、といった点から今回は穴枠の期待馬という扱いにいたしましたねぇ。

みなさん、これよく覚えておいてくださいね。今年のダービー馬はこの馬ですよ」

「いただきました。竹中さんのダービー馬。尚《なお》これまでのところ竹中さんにダービー馬指名された馬は5頭。トライアルでの勝率は二勝、そして本番ダービーで一着となった馬は無しといった状況でございます。最も古いのがライアン。最新が六年前のネイアです」

「それすぐに出てくるあたり、この番組も根に持ってるねぇ～！」

「GⅡ青葉賞、間もなく発走となります」

4/30(土) 第 NN 回 青葉賞（G II）part2

1 名無しさん@競馬板 20NN/04/30 ID:xxxxxxxp0

語れ

---

249 名無しさん@競馬板 20NN/04/30 ID:xxxxxxxe0

>>233
ここはスティールソードはずせないだろ
前走見たか？　アレ見てここ負けると思ってるやつ競馬やめたほうがいい
まぁもうかってそうだけどなご愁傷様w

---

252 名無しさん@競馬板 20NN/04/30 ID:xxxxxxxL0

スティールソードのパドックいいな
買う気なかったけどかっとこ

---

253 名無しさん@競馬板 20NN/04/30 ID:xxxxxxxO0

ところで 5ch の馬券師様（）激推しのスティールソードに勝ったサタンマルッコという無敗馬がいてですね

---

255 名無しさん@競馬板 20NN/04/30 ID:xxxxxxx30

地方の駄馬は 1 円もいらん (ﾜﾗ

---

262 名無しさん@競馬板 20NN/04/30 ID:xxxxxxx[0

サタンマルッコのここがすごい！
①デビューから無敗
②デビューからずっと逃げ先頭
③デビューからずっと引っかかって暴走
④中央で二着に負かした馬はその後全て勝ち上がり
⑤上記成績にも拘らずデビューからずっと二桁オッズ
⑥かわいい

⑦パドックでカメラを向けると止まる
⑧名前は強そう
⑨竹中のダービー馬← New!

---

270 名無しさん@競馬板 20NN/04/30 ID:xxxxxxxu0
>>262
いい加減穴人気してもよさそうなのにな
と思って複勝のオッズみたら 2 倍台でクソワロタ
単勝 10 番人気 56 倍の馬だぞｗｗｗ

---

271 名無しさん@競馬板 20NN/04/30 ID:xxxxxxxF0
受け継がれし黄金の血統（父ゴールドフリート）

---

289 名無しさん@競馬板 20NN/04/30 ID:xxxxxxxd0
三着付けでは買えるが二着付けでは買いにくい単勝はいわずもがな
めんどくせ複勝でかう

---

290 名無しさん@競馬板 20NN/04/30 ID:xxxxxxxs0
すごいラキ珍感を感じる

---

293 名無しさん@競馬板 20NN/04/30 ID:xxxxxxxq0
無敗のラキ珍ってなんだよ
（父ゴールドフリート）
あっ（察し

---

298 名無しさん@競馬板 20NN/04/30 ID:xxxxxxxF0
実は今年勝ちあがっているゴールドフリート産駒はこいつとエルゴデルカイだけ

---

300 名無しさん@競馬板 20NN/04/30 ID:xxxxxxxc0

艦厨はさっさと死んでね
サタンマルッコとかいうクソ駄馬なんかくるわけねーから

331 名無しさん@競馬板 20NN/04/30 ID:xxxxxxx70
>>300
ムッとして何か言い返そうとしたが駄馬といわれて特に返す言葉がなかったので
俺は静かにホウユウアオゾラから適当にながして買った
5ch で騒がれるとこないからスティールソードは切りだ

340 名無しさん@競馬板 20NN/04/30 ID:xxxxxxxv0
トモさんなら何とか（三着）してくれると期待してサタンの複勝

344 名無しさん@競馬板 20NN/04/30 ID:xxxxxxxN0
単複応援馬券だぜ
トモさんたのんます！

353 名無しさん@競馬板 20NN/04/30 ID:xxxxxxx30
どいつが勝とうが青葉賞組は本番じゃ１円もいらん
こんなとこ走ってる馬がストームライダーに勝てるわけない
皐月組とは格付け済んでるしこりゃ本当に三冠あるな

355 名無しさん@競馬板 20NN/04/30 ID:xxxxxxxt0
こんなとこ（本番と同じコース）

356 名無しさん@競馬板 20NN/04/30 ID:xxxxxxx30
>>355
そういう揚げ足取りいいから

『――と、ここで本日の東京競馬場メインレースGⅡ青葉賞の発走です。実況はラジオNK河本《こうもと》アナウンサーです』

《変わりまして河本がお送りいたします。ファンファーレの鳴り響く東京競馬場には3万人のお客さんが夢舞台への前哨戦を観戦にいらっしゃっております。

さぁ、ゲート前ではウォーミングアップを済ませた各馬が順調にゲートへ収まっています。奇数番号の馬が収まり、現在⑯番のカイキイバラキまでゲート入りが済んでおります。最後に⑱番サザンピースが収まりまして……スタートしました！

⑤番サタンマルッコスタート絶好、他揃《そろ》ったスタートとなりました。

さて何がいきますか。やはり好スタートからそのまますんなり⑤番サタンマルッコがハナを奪いきります。

これを見て①番スティールソードは二番手集団先頭を率いる形で第2コーナーへ差し掛かってゆきます。

続いて内へ寄せた⑯番カイキイバラキその後⑧番ホウユウアオゾラ今日は前目に位置を取るようです。

少し切れて⑫番、一番人気のマイザーアカウント、並んで⑪番カイキブルドッグ、③番マネテルマミライ、②番グリンアンセム追走。その外⑩番ナンホースターマン、④番サトシギュウニュウ、その後ろに⑰番コロシアム2馬身切れて⑦番ファンフォーユー、⑥番アイドルフラッシュ半馬身追走、最後方⑬番ワイルドカードといった体勢です。

先頭から最後方まで17、8馬身といったところ。その他各馬中団に纏《まと》まって動いています。


各馬2コーナーを抜け向こう正面へ差し掛かります。

先頭サタンマルッコ、今日は変わった鞍上《あんじょう》縦川友則と共に快調に飛ばしております。手綱はぶらんと楽に進んでいる様子。すいすいと差を広げていきます。その差は7、8馬身、まだ開こうかというところで後続もややペースが上がってまいりました。


二番手集団はスティールソードが牽引《けんいん》しています。その後ろ3馬身程途切れてカイキイバラキ、ホウユウアオゾラと続きカイキブルドッグ。ブルドッグの方が前に出てその後ろに一番人気のマイザーアカウント。その外グリンアンセム、マネテルマミライといった体勢で隊列落ち着きました。

1000mの通過タイムが58秒と少し。これはかなりハイペースになりました。

先頭サタンマルッコは気分良くいけているのかどうか。今日は鞍上とやりあっている様子はありません。

後続先頭は変わらずスティールソードですが全体的にペースが上がってかなり馬群が詰まってきています。⑩番ナンホースターマン、サトシギュウニュウ、⑱番サザンピースなどが外を通っていて、⑭番ジュウシィなどが内で包まれている様子。

さぁ最後方の⑬番ワイルドカードが上がっていった。これをみてファンフォーユー、アイドルフラッシュなどもペースを上げていく！

レースが動いてまいりました。先頭サタンマルッコが3コーナーに差し掛かり残り1000mの標識を通過していきます。

先頭依然サタンマルッコ、しかしその差は前走ほど大きくは無いように見えます。

前の方ではスティールソード、そして2馬身後ろにカイキイバラキこれに並びかけるようにホウユウアオゾラと、内にいたマイザーアカウントも外へ出してもう仕掛けに行っている！

サタンマルッコこれは手応えがどうだ後続との差が一気に詰まって、後ろの方からファンフォーユーアイドルフラッシュなども上がってきて直線へ向きます。

さあ直線を向いた！　あっという間にスティールソードが先頭に並びかける！──……》

◆

3コーナーに差し掛かり頬に当たる風を振り払いながら縦川は思考する。

ここまで楽に逃げてきた。このまま行けば、という手応えは強くなってきている。

以前までならジョッキーと喧嘩しながらここまで走っていたのだろうが、今日は自分が乗っている以上それもない。だからなのだろう。

――あ、気を抜いた。

3コーナーも半ば4コーナーに差し掛かった瞬間、股下の乗馬がチラリと背後を確認し、肩を脱力させたのを感じた。

賢い馬だと感心する。4コーナーに入り自分と後続との距離がどれほど開いていればセーフティリードであるか分かっているのだろう。この段階で7馬身差。これまで通りなら、そういう未来もあったのだろう。

「マルッコ」

手綱を扱《しご》いて首を押すが、うるさそうに耳が払われ手応えは変わらない。

こうまでハッキリした形とは想像していなかったが、恐らくこういう事になるだろうという予感はあった。

やはりこの馬は騎手……いや、人間に対して『自分』を完全には委ねない。

己の判断のみを信じきっている。だから命令など聞くはずもないし、俺の警告も届かない。

確かに優位だ。だが気は抜いてはいけない。ここは勝負の場である。以前がそうだったからといって今日もそうであるとは限らないのだから。

今の段階で俺がやれることは何も無い。だが、この後必ず出番があるはずだ。

(マルッコ、競馬はそんなに簡単じゃないし、お前のライバル達は甘くない。何より、その油断を

ターフに持ち込むのは無礼だ)

コーナー出口、直線を向く段階になり耳がピクリと後ろを向いた。接近する足音。異変を察知したのだ。

並びかけてきたのは①番スティールソード。

いや、並びかけてきたという言葉は語弊があった。

既に抜かれている。並ぶ間もなくあっさりと交わされた。マルッコも応戦しようとピッチを上げるが、差は詰まるどころか広がる一方だ。

スティールソードはここで勝負だと見越していた。恐らく1F11秒台半ばの足で決めに来ている。抜け出した後は行けるだけ行って粘る、何が何でもここを勝ってダービーに向かう、そういう覚悟だろう。

それに対してマルッコはこの1F13・8秒。息を入れたにしても明らかにペースを緩めすぎた。元よりキレのある脚質ではない。馬の加速が速度に変わるには少なく見積もっても二完歩《かんぽ》(四本の足が全て地面を蹴り終わったタイミングを一とする歩数の数え方)かかる。異変に気付いて慌てたところで彼我の速度差は覆しようも無い。こうして遠ざかる背中を前にもがくしかない。

後続集団にすら追い抜かれかねなくなった時、いよいよマルッコの走りに焦りが見え始めた。

「慌てるなマルッコ。もう少し待て。大丈夫だ、大丈夫——」

何が大丈夫なものかとハミが噛《か》む。

「大丈夫だ。今抜きにかかってる連中はすぐ脚が上がる。200を過ぎて150。残り150mからスパートだ。そこまでは今のペースを維持するんだ。抜かせてもいい、だけど前には入らせるな……！」

逡巡《しゅんじゅん》は一完歩。ハミが緩む。

「――――！」

（了承と受け取ったぞマルッコ……ッ！）

◆

《…………――坂を駆け上がってまだ先頭！　スティールソード後ろを大きく離した！　5馬身、6馬身！

⑬番ワイルドカードきている！　マイザーアカウントは伸びが悪い！

200を切った！　スティールソード独走！

二番手争いは内ラチ沿いサタンマルッコ懸命に食い下がる、カイキブルドッグ、グリンアンセム！

スティールソードだ、ようやく後ろの方が追い上げてくるが、先頭はスティールソードだ！

スティールソードだ！　スティールソード、押し切って今一着でゴールイン！

二着争いは接戦！

カイキブルドッグ、グリンアンセム、内ラチ沿い粘りに粘って最後盛り返した⑤番のサタンマルッコ、この辺りが一団となって駆け抜けました！

一着は①番スティールソード。鮮やかな逃げ切りで王座決定戦へ名乗りを上げました！

二着争いですが、現在……電光掲示板にゴールの瞬間が映し出されておりますが……これはどうでしょうか。一度は馬群に飲み込まれるかと思ったサタンマルッコですが、内から再度差し返して⑤番のサタンマルッコがやや優勢のように思えます。

お手持ちの勝馬投票券は確定までお捨てにならないようお気をつけください。

一着のスティールソード、鞍上の細原文昭《さいはらふみあき》ジョッキーは今年重賞初制覇。嬉《うれ》しい嬉しい初勝利を愛馬の晴れ舞台への切符と共に手に入れました！》

◆

「ご覧のように一着はスティールソード。二着以下は確定まで暫くお待ちください。二着は三頭の争いのようです。②番グリンアンセム、⑤番サタンマルッコ、⑪番カイキブルドッグ、この三頭です。直前のオッズでは一着①番スティールソードは9・5倍の四番人気。

馬単が1－2ならば78倍。1－5ならば235倍。1－11ならば26倍と、場合によってはかなり高額配当となりそうです。それではレースの総評を竹中さんにお願いしたいと思います」

「はい。えぇーまずスタートは⑤番のサタンマルッコがいいスタートを切りましたね。

そのまますんなり行って、今日は前走まではジョッキーが変わりまして、だからどうかなぁと思ったんですがね。これが縦川ジョッキーが上手く行っている様子だったもんですから、そのまま行けるのかと思いましたが4コーナーでスティールソードに交わされてしまいましたね。乗り方を見ていると対戦経験のある細原ジョッキーなんかはあれ、完全に狙い澄ました騎乗だったんでしょうねぇ。

だとしても直線での伸びは見事でしたねェ。全体的にハイペースだった上に4コーナーからの抜け出し、その上で後続を振り切っての勝利ですから、見た目のインパクト通りの能力を証明したのではないでしょうか。本番はまた相手が強いですが、今日見せたこの馬の実力ならば十分チャンスがあるのではないかと私は思いますね。

人気のマイザーアカウントはちょっと精彩を欠きましたね。今日は二番手集団前目の競馬でしたが4コーナーでカイキブルドッグらの仕掛けに遅れたせいで外に出さざるを得なくなっていました。これで脚を使ってしまったのか、そもそも距離が少し長かったのか、前走で見せたような鋭い末脚を発揮できなかったようですねェ。これはもう暫く様子を見ながら使っていくことになりそうですね。

カイキブルドッグ、この馬は元々切れる足というよりはいい足を長く使うタイプの馬で、今日みたいに前が止まらないような競馬ではちょっと苦しい位置でしたねぇ。それでも着争いに縺《もつ》れ込んだ辺りにこの馬の地力を感じますね。もっと向いた展開ならば実力を発揮できていた、のかもしれません。

　グリンアンセムはカイキブルドッグが通った後ろを抜けて並びかけたまではよかったんですが、そこから先がカイキブルドッグ同様抜け出せませんでしたねぇ。ゴールした後もまだ伸びていましたから、脚を余していたのでしょう。この展開の中脚を余しているのですから、本質的にもっと距離が長くてもいいのかもしれませんねぇ。

　それからサタンマルッコですか。

　やっぱり派手な逃げを打つ馬ということで警戒されており、見事に討ち取られてしまったといった印象ですかねぇ。

　直線に入る前にかなり失速していたようにも見えたので、あのままズルズル行くのかと思いきや盛り返して二着争いですから、前半のハイペースを考えればこの馬の能力も十分高いと私は思いますよ。しかしまた微妙な着差で、ここを逃してしまうとダービー出走は厳しくなってしまいますので……あ、着順でたの？」

「はい。電光掲示板に着順が表示されております。1－5－2で確定です。一着①スティールソード、二着⑤サタンマルッコ、三着②グリンアンセムとなっています」


　よぉし！

「払戻金についてはまた後ほどと致しまして竹中さん。嬉しそうですね」

「いやーよかったよかった。あんなこと言ってダービー出れないなんて格好付かない所だったよぉ。前言は取り消しませんよ、この馬がダービー馬です。

それでぇ……サタンマルッコですね、私はこういう言う事聞かない馬に乗り代わりはどうかな、と馬柱を見た段階から思っていたんですが、レースぶりを見るにどうやら縦川ジョッキーはあの難しい馬を手なずけていたように見えましたねぇ。

まぁこれは皆さんがどう思うか次第ですが、これまでとは別の馬になったと考えた方がいいと思いますよ」

「竹中さんウッキウキですね」

「そりゃもう浮かれますよ。ダービー本番じゃ青葉賞組は走らないなんて言われてますけどねぇ、もうここらでスッパリ断ち切ってもらいたいもんですよ。スティールソードもサタンマルッコも実力は十分。本番では頑張って欲しいところです。いやー楽しくなってきたなぁ！」

「以上、馬券をしっかり取ってニッコニコの竹中さんでした。

払戻金についてお知らせいたします。単勝①番スティールソード――……」


暗くて狭い箱の部屋。

車体が道路のジョイントを乗り越える度に刻む定期的な揺れだけが時間の進みを教えてくれる静かな車内。

東京から帰りの馬運車の中、同乗を志願した縦川はそんな緩やかな時間の中で共に駆けた戦友を見つめながら、今日という日を振り返る。

結果は二着。危ういところでダービー出走が叶《かな》ったオーナーの狂喜乱舞はさておき、目の前の栗毛の怪馬からすれば到底承服し難い結果だったのだろう。

餌箱に顔を突っ込んで草を食んでいるかと思えば時折動きを止め、やがて荒い鼻息と共に忙《せわ》しなく口を動かす。反芻した怒りで憤懣《ふんまん》やるかたなしといった風だった。

レース中の反応から、他の馬に負けることなど想像していなかったのはよく分かる。実際問題、この馬が油断なく事を運べば直線入り口で交わされるなどという無様は晒《さら》さなかっただろう。

常識に照らして考えれば、馬は自分でペースを作らない。

走るのは馬の領域。走らせるのは騎手の領域。しかしサタンマルッコは自らペースを作り出し、勝てる展開を創出できる。

だがそれはコンマ数秒を正確に刻む訓練を課された騎手ほど正確ではない。

この馬は賢い。敗因が己の油断にあることをちゃんと理解している。

そして次にするべき事と必要な事が何かも、もう分かっている。

「マルッコ」

呼びかければ顔が上がり、白い丸が薄暗い明かりの中でこっちを向いた。

「４コーナー中間、今日のお前は気を抜いた。だから自分が思っていたよりもペースが落ちていて、結果として直線に入る段階で交わされていた。恐らく普段のお前なら減速期間はもう50ｍは短く、そこで息を入れなおせていたはずだ」

　言うまでもなく、人とサラブレッドとの間に共通の言語は存在しない。人間の言葉を理解していると思って語りかけている訳ではない。でも、きっと分かっている。間違っていたこと、これから必要なことを。

「マルッコ。俺にやらせろ。お前が描いた最適解《ラップタイム》を俺がレースで見せてやる。ペースは任せろ。だからお前は走ることだけに集中するんだ」

　この馬は俺の想う東京２４００ｍを走る理想だ。その想いは乗ってみて、レースに出てみてより一層深まった。

　結果器用に二着をとって見せたが、これほどの事が出来る馬があの程度のレースで負けていいはずが無いのだ。

　あんなつまらない失策、俺が乗る限り二度とさせない。

　だからこの胸の内から湧き出た宣誓を言葉にせずにはいられなかった。

「次は勝つぞ」

　俺が勝たせる。お前が勝たせろ。俺たちで一騎だ。

　当たり前だ。相棒の唸《うな》り声《ごえ》が車中に響いた。

　優駿の門は開かれている。あとは自分達次第だ。

第三章　夢の終わり

朝靄《あさもや》煙る栗東《りっとう》トレーニングセンター。Eダートコースの砂上を弾む栗毛《くりげ》の馬体。

前走青葉賞より一週間。サタンマルッコは次走日本ダービーへ向けての調整を行っていた。

マルッコの様子は一叩《ひとたた》きして激変した。その変化は調教にこそ最も現れた。

鞍上《あんじょう》の縦川《たてかわ》が手綱を僅かに引く。意を汲《く》んだマルッコが足の回転を心持ち落とす。微少な動作による意思の伝達。青葉賞以降こうした折り合いの訓練が続いていた。

この光景を羽賀で調教されていた頃のマルッコを知る者が見れば驚くことだろう。何せ聞かん坊で有名なマルッコが鞍上と意思疎通を果たし、唯々諾々と操られているのだから。

これまでマルッコの調教は強弱こそあれど只管《ひたすら》に『馬なり』であった。縦川の手綱にこそレースのペースを刻むなど〝それなり〟に応えていたが、基本的に馬の気分で走っていた事に変わりは無い。本格的に意に染まぬとなればマルッコは縦川の手綱を無視しただろう。

それがどのような心境の変化があったのか。縦川どころか厩務員《きゅうむいん》のクニコの手綱にすら素直に従うではないか。

馬上で手綱を握る縦川はその変化を当然のモノとして受け取っていた。

マルッコの背中から伝わる、不甲斐《ふがい》ない走りをした己自身への怒り。

彼は己の自惚《うぬぼ》れを理解した。だから認めた。鞍上の存在を共同体として。

それはつまり、勝利を渇望しての行動。

調教を見守る小箕灘《こみなだ》の手に力が入る。

（ついに、マルッコが本気になった）

ここからだ。

常識の通用しない怪馬が勝利を求めて競馬する。

その時一体何が起こるのか。小箕灘はその変化を最前線で見守る立場にあることを感謝した。

（見せてくれ、マルッコよぉ）

俺が信じたお前の才能を。

レースは三週間後。それまでの期間、己の全てを捧《ささ》げる決意を新たにした。


「実際のとこ、どうするんすか？」

調教を終えた午後のひととき。クニコ、縦川、小箕灘の三人は事務所のテレビ画面を見つめていた。その中で、クニコは漠然とした疑問を投げかけた。

すっかり古めかしい存在となった大型ブラウン管テレビには先月行われたＧⅠ皐月《さつき》賞が映し出されている。三人はそれぞれ繰り返し何度も視聴していたが、本番の指揮を執るため、こうして改めて見直していた。

皐月賞は戦前から前年度の二歳覇者ストームライダー一強の雰囲気で染まっていた。彼の馬は先行抜け出しからレコードタイムを叩き出すという完璧な内容でＡＦＳ１６００ｍを制し、続くステップレースの１８００ｍを大差でクリアしていた。

中間、追い切りの動きも余裕残しでありつつも抜群であり、枠順も内外を見ながらスタート出来る④枠⑦番。強いてネガティブな要素を挙げるとするなら、血統的背景が距離延長に対して否定的であることだが、現時点における絶対能力が抜きん出ている事から前走から２００ｍの距離延長はさほど問題にならないという見方が大半であった。

対抗として名の挙がったのはトライアルＧⅡ弥生賞の勝ち馬ナイトアデイ。しかしこの馬はＡＦＳにおいてストームライダーに完敗を喫している。

同じく弥生賞二着馬コーネイアイアン。逃げ粘りのレースを見せたが、直線最後で足が鈍っており、前目の競馬を得意とするストームライダー相手では厳しいと見られていた。

もしや、と思われていたのがマルッコ達《たち》小箕灘厩舎《きゅうしゃ》が馬房を間借りしている須田《すだ》厩舎管理馬ダイランドウだった。

二歳時は短距離路線において抜群のスタートセンスとスピードの絶対値で以《も》って逃げまくり連戦連勝。ＡＦＳを目指して調整を行っていたところを鼻出血のため回避。

明けて翌年は病状を鑑みて慎重に調整を重ねつつ、陣営は予想されていた短距離路線ではなくクラシックへの出走を表明。そしてトライアル弥生賞に出走したのだが――

《１０００ｍの標識を通過。先頭はダイランドウですが、通過タイム57・4。大丈夫なのか、そ

れで2000m果たして持つのかダイランドウ》

ダイランドウは加減の出来ない馬だった。これまでは抜群のスタートとスピードで駆け抜け、燃え尽きたところがたまたまゴールというだけだったのだ。トライアルの弥生賞では大暴走し、最後は歩きながらタイムオーバーで入線。本番の皐月賞でもそれは改まる事が無く、レース映像のように1000mをロケット花火のように駆け抜け、1400mを越えた辺りで燃え尽きた。

しかし弥生賞で大惨敗したとはいえ、これだけのスピードを持つ逃げ馬を無視する事が果たして出来るだろうか。ダイランドウ暴走の結果、それを追う各馬の足も速まり、レース全体が空前のハイペースとなった。

離れた二番手を走るナイトアデイの1000m通過が58・5秒。四番手につけたストームライダーですら58・7秒。例年ならば後差しが有利な時計であり、通過タイムが表示された瞬間ストームライダーの馬券を握っていた観客は悲鳴や怒号を上げ、冷や汗を流した事だろう。

垂れるダイランドウを交わして先頭に立ったナイトアデイ共々早々に直線へ入るとあっさりこれらを交わす。AFSで、通信杯で、かつて見せ付けてきた抜群の末脚を発揮し差を広げ、ようやく伸びてきた後続を全く寄せ付けずレコードタイム1分57秒6でゴール。

その日の他のレースでも全体的な決着タイムは決して速くなかった。物が違ったという事なのだろう。

入線後高々と右手を上げる竹田《たけだ》騎手の姿を眺めながら、縦川が口を開く。

「やはり、前ですね」

「後ろは論外。横に並んでヨーイドンでも絶対敵わねぇな」

縦川の意見に小箕灘も同意する。あれだけのペースで走っておきながら上がりが34・5秒。馬場が高速化する傾向にある本番のダービーではより一層厳しい上がりで来るだろう。

先日の青葉賞では結果的に前で普段よりも足を溜《た》めた競馬になったにも拘《かかわ》らず、マルッコの上がり3F《ハロン》は35・3秒。単純に同じだけの足を使えるとしても、直線に入った時点で0・8秒分ストームライダーより前にいなければ勝利はない計算になる。

マルッコは本質的に鋭い末脚を持つ馬ではない。この事は小箕灘陣営にとって共通の見解となっていた。

「すごいのと同世代になっちゃいましたね……」

魂消《たまげ》てしみじみとした声でクニコが呟《つぶや》いた。

「違いますよ」

「え？」

「あっちがマルッコと同世代に生まれてしまったんです」

縦川が不敵に笑った。

「負かしてやりましょうよ。皆ビックリしますよ」

「縦川さん。馬鹿言っちゃいけねぇ。俺は羽賀からマルッコを連れてくる前からアイツがダービーを取るって信じてるんですよ。こんな相手くらい負かして当然ですわ」

小箕灘も啖呵《たんか》を切った。その声は震えていたが。

「それで、なんですけど――……」

三人の怪しい集いは暫《しばら》く続いた。


シャリシャリシャリ。眠たくなるような麗《うら》らかな日差しの午後三時。須田厩舎の馬房にはりんごの皮を剝《む》く音が響いていた。

先程から大好物が奏でる音を聞きつけたマルッコが馬房から首を出してはやくはやくーとそわそわしている。殊更ゆっくりやってやろうか、とクニコの脳裏に意地悪な考えが浮かんだが、マルッコの円《つぶ》らな瞳と目が合ってしまい、その考えを早々に放棄した。

意外に思われるかもしれないが、サラブレッドは野菜や果物も食べる。と、いうより栄養のバランス如何《いかん》では積極的に与える場合すらある。馬にニンジンという認識が広まっている割には野菜や果物と括《くく》ると何となく驚きがある。なんとも不思議だ。

皮を剝かずに与えても問題ないが、マルッコは剝かないと怒る上に千切りにしないと食べにくい、と文句を言う面倒くさい奴《やつ》なので、クニコはいつもオーダー通りにやってやっている。皮は剝き終わったので後は千切りだ。

「ひ～ん」

「はいはい待ってな。あ、馬房から出てきたらあげないよ」

「ぶひ～ん」

すっかり慣れたもので手早くりんごを千切りにし、まな板ごと飼葉いれへ持っていく。

「はいお待たせ」

「ふぃん」

入れてやると、喜んでるのか怒ってるのかよく分からない唸《うな》りを上げて食べ始める。一心不乱。そんな様子だ。

うりうりと鼻を撫《な》でると煩わしそうに振り払われる。この馬のそういう嫌がってるときの顔が一番可愛《かわい》いのだと主張して止《や》まないクニコは中々止めない。暴れ馬と評判だがこれでマルッコはなんのかんのと性格その物は暢気《のんき》で優しいところがある。しつこく伸ばされる手に観念してりんごに集中し出したところで気は済んだ。

あたしも食べるかな、とダンボール箱一杯に詰め込まれたりんごに手を伸ばす。青葉賞を二着に収めた後、マルッコの故郷中川《なかがわ》牧場の主《あるじ》、中川貞晴《さだはる》オーナーから届けられた祝いの品だった。牧場に居たころは資金難であんまり食べさせてやれなかったのを気に病んでいたらしく、仰々しいダンボール二箱に詰め込まれたりんごを見たときは驚いた物だった。りんごはそれほど日持ちしないのでさっさと食べてしまわないといけない。

(たしかに、羽賀に居たころは小さい馬だったなぁ)

自分用に皮を剝きながら、クニコは羽賀の厩舎に居たころを思い返していた。

厩舎に来たばかりのマルッコは、雌馬と見紛《みまが》う小柄な馬体の馬だった。というか小柄でもあったが、そもそも痩せていた。なんだこの馬はと思った記憶がある。

少し世話をしてみてすぐに分かった。なんて可愛くて賢い馬なんだろうと。是非この馬の専属に、と立候補した事を後悔した時期もあったが、今となっては英断だっただろう。

疑惑の盗み食い事件、騎手振り落とし事件、海水浴事件、馬房脱走事件、デビュー戦逸走事件、まぁ色々あったが、気付いてみればこんな凄《すご》い場所にまで来てしまった。

「お前がダービーに出るのかぁ。しかも羽賀ダービーとかじゃなくて、日本ダービー。お前は変な奴だなーマルッコ。あたしは今でもお前がダービーに出るってのが信じられないぞーマルッコー」

厩務員手当てといって、担当馬がレースで勝った時、賞金の数パーセントが給付される仕組みがある。最近は厩舎全体でプール金として集め、ボーナスとして分配する方式が採用される事が多いが、地方競馬に所属する厩舎などは中央と比べて賞金が低いため、担当者制度を続けているところも多い。小箕灘厩舎もその口である。

中央に参戦してからというもの、マルッコがレースに出る度、目が点になるような額が銀行口座に振り込まれる。おかげで懐具合はだいぶよくなり、マルッコ様様と崇《あが》めたててやってもいい気分ではあったのだが、いざ当のマルッコを目の前にすると、これまでの事が全て夢だったのではないかという気分にさせられてしまう。

ダービーに出るだけでこれなのだから、勝った日にはどうなってしまうのだろう。むしろ、目が覚めるような想《おも》いがして現実感が戻ってくるのだろうか。

皮を剝く手はいつの間にか止まり、ぼうっと餌箱に首を突っ込んでいるマルッコを眺めていた。

ふいにマルッコの顔が上がる。耳が後ろに絞られ目つきが鋭い。

（あ、怒ってる）

何を怒っているのかと思いかけたが、己《おの》が手の内にあるモノに気付いた。

「ぐるるる」

俺んだ勝手に食おうとしてんじゃねー！　と言わんばかりの迫真の威嚇。

「わかったわかった」

今日のおやつは二つになった。


ＡＦＳを1分33秒０で圧勝した時、早熟を囁《ささや》かれた。

それまでの三勝がマイル以下でしかない事をあげつらい、距離の不安を囁かれた。

迎えた通信杯１８００ｍ。これを7馬身ちぎって圧勝。距離の不安など無いと見せ付けた。

そこでやっと世間が認めた。この馬は、強い。

まだだ。

管理調教師山中《やまなか》は思った。

四戦四勝。単勝２・０倍で臨んだ皐月賞。

二倍でいいのか？

圧勝だった。5馬身ちぎってレースレコードの決着。

ようやく世間は気付く。違うのだ。ストームライダー。こいつは次元が違うのだと。

そうだ。山中は頷《うなず》く。

こいつが最強だ。こいつが俺たちの最高傑作。

こいつが取らずに誰が取る。

ダービー馬の栄冠はすぐそこまでやってきていた。


遅生まれだった。その影響で馬体の完成が遅れ、二歳のシーズンを棒に振った。

「テツゾー知ってるか？　次のレースはすげー馬が居るんだぞ」

小柄だった鹿毛の馬体はすっかり大きく、逞《たくま》しく。

騎手、細原文昭《さいはらふみあき》は知っていた。この馬こそが栄冠に相応《ふさわ》しいと。

「お前なら大丈夫。２４００ならお前の勝ちだ」

スティールソード。馬主の孫に付けられたありふれた名を持つこの馬は、鈍く、鋭い眼光を湛《たた》えていた。

毎日上った美浦《みほ》の坂。目指す先にあるのは嵐か、それとも。

ダービーウィークが近づくにつれ、競馬界隈《かいわい》はどこもかしこも賑《にぎ》やかに、或《あ》いは騒がしくなっていく。取材の記者は出走各馬の動向を見逃さんと目を光らせ、トラックマンはそんな記者に渡りをつけつつ独自のコネクションで直接取材へ乗り込む。普段見かけない顔がトレーニングセンターに溢《あふ》れる様に、業界人達はどこか浮ついたような、祭りの前の高揚感を思わせるモノに包まれていた。

競馬業界において新年は一月一日だが、一年の終わりは日本ダービーである。

ああ、今年もダービーがやってきたんだな。

そんな浮ついた雰囲気の栗東トレーニングセンターを闊歩《かっぽ》しながら縦川は思った。

競馬に携わっていてダービーを意識しない人間はいない。新人のころは外から眺めるだけで悔しい思いをしたものだが、関わったら関わったで緊張や重圧、増える取材の煩わしさなどと折り合うのに苦労したものだった。

今でも、雰囲気に呑《の》まれている自覚はあった。大切なのは普段通りでない自分を自覚することだ。そんな単純な気付きにも数十年かかってしまった。

「縦川さん！」

声に振り向けば、顔なじみの新聞記者だった。競馬を離れての付き合いこそないが、もうかれこれ十数年は顔を突き合わせていた。

「あ、どーも坂下《さかした》さん」

「い、いま取材平気ですか？」

坂下はわたわたと音声レコーダーと手帳を取り出しながら訊《たず》ねた。こういうバタバタしたそそっかしさを縦川は気に入っていた。特に急いでもいなかった縦川は了承の意を返し、道端の柵に寄りかかる。

「それにしても坂下さん、栗東に来るなんて珍しいですね」

「いやーどこも締め出しちゃって口が堅いのなんの。美浦じゃ声取れなかったもんで、編集長にドヤされてそのまま栗東までって感じで」

「例年二週前追い切り位まではあんまり喋《しゃべ》りませんもんね」

「その点縦川さんは流石《さすが》です！　ぼくがいつ取材申し込んでも受けてくださる！」

「おだてたって何もでませんよ」

調子のいい人だな、と縦川の顔にも思わず笑みがこぼれる。

「それでなんですけど、縦川さんは今年サタンマルッコ号でダービーに参戦する訳ですけども、サタンマルッコって、実際のところどうですか？」

「坂下さん。どうって質問もどうなんですか？」

「あ、あはは……いやぁほら、あの馬ってちょっと訳分からないところある馬じゃないですか。ぼくに限らず皆さんも、こう、実力的にーだとか、手応え的にーだとか、そういった部分を縦川さんから教えていただきたいと思ってるんですよぉ」

「うーん、なるほどなぁ。確かに外から見ると馬のことがよく分からない、というのも分かります。分かるんですが、マルッコは割と見たまんまの馬ですよ」

「見たまんま、というと？」

「可愛いってことですよ」

「縦川さぁ～んお願いしますよぉ～それじゃ記事に出来ないですよぉ～！」

「冗談ですよ冗談。でもすごく可愛い馬ですよ。人懐っこくて、人間のことが大好きで。気性に難のある馬だと思われてるみたいですけど、全然そんなことありませんよ。坂下さんは栗東にはあんまり顔出さないんでしたよね？　マルッコはこっちの人達の間じゃアイドルですよ。角馬場を歩いてる時とか、移動中とかにも誰かから声をかけられてる位ですからね」

「へぇ～。人懐っこくて人気者、と。なんだか意外ですね。あ、でも写真で見ても思いましたけど、確かに可愛い顔してましたね」

「そーなんですよ！　あの目が特にね、それと表情がなんとも人間くさくて面白いんです」

「人間くさい、と……た、縦川さぁん。そろそろレースに関係しそうな事、教えてくれませんかぁ？」

「んー、でも俺があんまり強そうな事吹くと負けるらしいからなぁ」

これオフレコにして下さいね？

「俺は勝つ気ですよ。ダービー」

それじゃ、と坂下を残して縦川は去った。

あまりの唐突さに坂下はぽかんとしてしまい反応が遅れた。声をかけそびれた背中がこれ以上は話さないと雄弁に語っており、物足りない取材結果に自然と肩が落ちた。

「さーかーしーたちゃん！　でかした！」

その坂下にどこからともなく現れた同業他社達が群がる。この時期の厩舎コメントは限られたパイとして分かち合う土壌が彼らにはある。要するに取材コメントのおこぼれを頂きに参上したのだ。

「で、どうよ！」

「サ、サタンマルッコは……」

「サタンマルッコは？」

「サタンマルッコは、可愛いんだそうです」

一斉に溜息《ためいき》が零《こぼ》れる。

「それなら皆さん自分で取材すればいいじゃないですか！」

「それが出来たら苦労しねぇよ」

「どうしてですか。普通に声かけたらいいじゃないですか」

「あーお前最近栗東に来てなかったんだっけ。すげぇぞ最近の縦川。殺気立っちゃって」

「殺気立つ？」

「寄らば斬るってな具合で一人で居るところなんて近づけねぇよ。試しに声かけた奴がすげーあしらわれて、以来ずっとすげー顔してんだよ」

「お前よくコメント取れたな」

「まぁロクに取れてなかった訳だけどな。どうせサタンマルッコだろ？　空いた馬に乗っただけじゃ縦川でもどうにもならねぇか。はー、他回るか」

「身勝手すぎる……」

三々五々散っていく記者達をジト目で見送りながら、坂下は先程の一幕を反芻《はんすう》した。

空いた馬に乗っただけ？　本当にそうだろうか。

丁度近くをどこぞの厩務員が通りかかった。すかさず声をかける。

「あの、すみません。少しお話うかがわせて貰《もら》ってよろしいですか？」

「ん？　なんや。ウチんとこの馬はダービーもオークスも安田もでねぇぞ？」

「ああいえ、お伺いしたいのはサタンマルッコ号のことで」

瞬間、男の表情が輝いた。

「おーマルッコかいな！　なんでもききや。まずなー、あん馬はとにかく――」

聞けといいつつ捲《まく》し立てる男に苦笑しつつ相槌《あいづち》を打つ。

本当にあの馬、栗東じゃ顔広いんだな、と感心しつつ隙を狙って問いかけた。

「主戦の縦川騎手なんですけど、いつ頃からサタンマルッコ号に乗っていたんですか？」

これはある程度確信を持った質問だった。

本来、美浦所属の縦川が栗東の馬の主戦になるのはおかしい。物理的距離が遠いとレースの度に移動の煩わしさが付きまとうし、そもそも普段から人馬のコミュニケーションが取りにくくなるからだ。栗東の馬には栗東の騎手。美浦の馬には美浦の騎手。それは単純な効率の問題で生まれた常識だ。

そこへ来てサタンマルッコ縦川友則《とものり》である。しかもどうやら口ぶりからすれば普段の栗東を知るほど通い詰めているらしいではないか。それはつまり――

「ん？　縦川ジョッキーなら青葉の前にはもう乗ってたなぁ。皐月の一週前追い切りより前やから、四月のはじめごろか？」

「なるほど。大変参考になりました」

「お、もうええんか？」

繫《つな》がった。

最後に告げたあの言葉。瞳の奥の鋭い光。

なるほど。

馬のことは結局よくわからないままだ。だが、人のことならよく知っている。

縦川友則、気配アリ、だ。

日本ダービー part5

656 名無しさん@競馬板 20NN/05/NN ID:xxxxxxx60

それは無理に粗探ししすぎ三歳の馬なんだから当然
持ってる時計がちがう
もう何をどうやったって負けるわけねーよ

---

658 名無しさん@競馬板 20NN/05/NN ID:xxxxxxxw0

例年この時期突然現れる遅れてきた大物が全部小物な件

---

661 名無しさん@競馬板 20NN/05/NN ID:xxxxxxxr0

そもそも 5ch の化物呼ばわりはだいたいポニー

---

662 名無しさん@競馬板 20NN/05/NN ID:xxxxxxxj0

>>661
真に受けてんのお前だけだから

---

663 名無しさん@競馬板 20NN/05/NN ID:xxxxxxxl0

謎の外国馬ヤッティヤルーデスの正体不明感すこすこのすこ

---

665 名無しさん@競馬板 20NN/05/NN ID:xxxxxxxF0

やってやるです！
やぁぁぁぁあってやるぜ！

どっちなのか

---

666 名無しさん@競馬板 20NN/05/NN ID:xxxxxxxy0

トルコ語かなんかと日本語が起こした奇跡の馬名

---

670 名無しさん@競馬板 20NN/05/NN ID:xxxxxxxd0

皐月賞一着ストームライダー

皐月賞二着ラストラプソディー
皐月賞三着ナイトアデイ
皐月賞四着ゲノム
皐月賞五着コーネイアイアン
プリンシパルＳ一着カタルシス
青葉賞一着スティールソード
青葉賞二着サタンマルッコ

マイルカップから参戦無し
あとは賞金順が概ね予想通りに参戦？

---

672 名無しさん@競馬板 20NN/05/NN ID:xxxxxxxA0
条件戦勝ちあがったばっかの馬が勝つＧⅡ青葉賞とかいうレース

---

673 名無しさん@競馬板 20NN/05/NN ID:xxxxxxxa0
いや青葉賞って元々そういうレースだろｗ

---

678 名無しさん@競馬板 20NN/05/NN ID:xxxxxxx80
まぁ順調にいってる馬なら皐月使うしな

---

680 名無しさん@競馬板 20NN/05/NN ID:xxxxxxxR0
？？？「今年も青葉は茂らない！！！！！！」
はー枯葉賞

---

682 名無しさん@競馬板 20NN/05/NN ID:xxxxxxxt0
>>680
もう許してやれよ

---

688 名無しさん@競馬板 20NN/05/NN ID:xxxxxxxh0
カタルシスとスティールソードでストームライダーに勝てるビジョン

が浮かばない

689 名無しさん@競馬板 20NN/05/NN ID:xxxxxxxV0
ラストラプソディーがぶちぬくから見とけよ

701 名無しさん@競馬板 20NN/05/NN ID:xxxxxxxZ0
どうせ高速馬場専用機だろ
ダービー走ってぶっ壊れるいつものパターン

714 名無しさん@競馬板 20NN/05/NN ID:xxxxxxxz0
ところが皐月の日はいうほど高速馬場でもなかったんだな
週末に雨だったし条件戦では直線で時計出てなかった
そんな中 1:57.6 とかマジモンだろ

718 名無しさん@競馬板 20NN/05/NN ID:xxxxxxxr0
現実見れない低学歴アンチ
馬場ガー相手ガー中山適性ガー距離ガー

730 名無しさん@競馬板 20NN/05/NN ID:xxxxxxxi0
煽ろうとは思わんけどまじで別路線組に負ける要素ねーだろ
あるとしたらマイルカップ組からだけど今年のメンツ見る限り望み薄だしな

742 名無しさん@競馬板 20NN/05/NN ID:xxxxxxxg0
毎年バケモンバケモンっつってニセモンばっかだったけど
今年のはマジで化物だな
嵐は足の丈夫な光粒子だろ

745 名無しさん@競馬板 20NN/05/NN ID:xxxxxxx90
足の丈夫な光粒子とかもうそれ無敵だな

746 名無しさん@競馬板 20NN/05/NN ID:xxxxxxxt0
レースっぷり的にどっちかというとフジっぽいけどな

750 名無しさん@競馬板 20NN/05/NN ID:xxxxxxxn0
先行抜け出し型だもんな
囲まれる心配ないから見てて安心するわ

766 名無しさん@競馬板 20NN/05/NN ID:xxxxxxx20
鞍上も竹田だから詰まる心配もないしな
(ナイトアデイから目を逸らしつつ)

771 名無しさん@競馬板 20NN/05/NN ID:xxxxxxxm0
ナイトアデイの前に謎の壁が出現しそう

775 名無しさん@競馬板 20NN/05/NN ID:xxxxxxxJ0
二歳から皐月まではストームライダー一強で間違いない
皐月組はどっかで当たってるから勝負付け済んでるし
さてダービーはというと他に馬がいないからやっぱ楽勝か

790 名無しさん@競馬板 20NN/05/NN ID:xxxxxxxP0
>>670
というかこれ良く見たらちゃっかりトモさん 2get してんのな
この馬もともと羽賀の馬だろ？　よく持ってきたな

800 名無しさん@競馬板 20NN/05/NN ID:xxxxxxxN0
サタンマルッコって艦厨が祭り上げてるやつだろ
逃げりゃまだレースが面白くなるからいいけど 4 角で垂れてたしな
出る意味ないレベル

803 名無しさん@競馬板 20NN/05/NN ID:xxxxxxxr0
お前嫌艦厨にみせかけた艦厨だろ

811 名無しさん@競馬板 20NN/05/NN ID:xxxxxxx10
サタンマルッコは可愛いわね

812 名無しさん@競馬板 20NN/05/NN ID:xxxxxxxT0
フ〇ーマさんは静かにしてて

819 名無しさん@競馬板 20NN/05/NN ID:xxxxxxx/0
これ嵐のオッズ 1 倍台だろ

822 名無しさん@競馬板 20NN/05/NN ID:xxxxxxxC0
1.5 つきゃいいほう

828 名無しさん@競馬板 20NN/05/NN ID:xxxxxxx40
深海のときみたいに 1.1 とか普通にありえる
新聞があの時ほど騒いでないけど、ローテとか中間含めてここまで完璧すぎる
紛れがあるとすりゃ外枠発走だが正直この馬ならなんとかなるんじゃねえの

831 名無しさん@競馬板 20NN/05/NN ID:xxxxxxxU0
嵐に大金突っ込むか穴狙いで遊ぶかっていうレース

834 名無しさん@競馬板 20NN/05/NN ID:xxxxxxx30
1 倍台の馬が飛べば連系がうまいもんな
ダイランドウ……うっ、頭が

845 名無しさん@競馬板 20NN/05/NN ID:xxxxxxxc0

ダイランドウ……惜しい奴を亡くした

847 名無しさん@競馬板 20NN/05/NN ID:xxxxxxxG0
死んでないから

850 名無しさん@競馬板 20NN/05/NN ID:xxxxxxx40
あの馬弥生で爆発四散したくせによく皐月出たよな
可能性があるとしたらあいつくらいだった

852 名無しさん@競馬板 20NN/05/NN ID:xxxxxxxQ0
？？？「この中間は距離延長に考慮した調教を施した（ｷﾘｯ」

856 名無しさん@競馬板 20NN/05/NN ID:xxxxxxxl0
さすが須田っち言う事が違う（白目

857 名無しさん@競馬板 20NN/05/NN ID:xxxxxxxH0
距離適性の無さをあれほど見事に体現した馬も珍しい
とはいえ今年のマイルカップなら勝ててただろうな

864 名無しさん@競馬板 20NN/05/NN ID:xxxxxxxd0
マイルでも長い説、あると思います

日も高くなりつつある美浦トレーニングセンター。

ダービーを二週間後に控えた木曜日。通例通りならば追い切りを行うであろう各陣営の動向を見逃すまいとする報道陣達はCWトラックコースへ熱い視線を送っていた。

皐月賞馬ストームライダーの公開調教である。

ダービー大本命とされるこの馬の調教にはカメラのスコープを構えた雑誌記者やテレビカメラクルーが詰め掛けていた。

視線が可視化されそうな熱気の中、件《くだん》の皐月賞馬はむしろ悠然と直線に現れた。遠めに馬体を見ても隙の無さは窺《うかが》えた。しかしいざ動いているところを見ると、あまりの迫力に息を呑まされる。

ストームライダーは6F地点からスタートし、直線で前を走る3勝クラスの僚馬と併走を行うと予告されていた。仕上がりの程を確認するには納得の調教であるし、それは報道を通して馬券購入者が最も知りたい内容でもあろう。

一瞬だった。

10馬身程前を行く僚馬を、ストームライダーは鞍上竹田騎手の仕掛けに反応し、ダイナミックな走法で並ぶ間もなく抜き去った。

深海が、フリートが、名立たる三冠馬たちがそうであったように、大きなストライドと足の回転を兼ね備えた究極の走り。一冠のブランドを兼ね備えた今、その走りは余りに輝いて見えた。

二冠じゃない。三冠だ。翌朝の煽《あお》りは決まった。

ストームライダー、死角なし！

「山中調教師。今週の追い切り、スタンドからの手応えは如何《いかが》でしたか？」

取り囲みの取材陣に不敵な笑みを浮かべ、管理調教師山中と主戦騎手竹田は投げかけられる質問に答える。

「とても満足しています。皐月から短期放牧に出してすっかりリフレッシュ出来ているみたいで。でも気が抜けているわけでもなく、今日のでよりピリっとしてきたんじゃないですかね」

「竹田騎手。乗っていた感想はどうでしたか！」

「はい。いい感じでしたよ。変なところで力まず、僕の指示にも従ってくれましたし。動きはそうですね、要所で力を発揮していましたし、皐月から引き続いていい状態だと思いました」

「山中調教師。本番でのライバルと意識している馬を教えてください」

「選ばれた18頭ですから当然全馬意識しています。ですが敢《あ》えて挙げるとするなら、皐月賞とは別路線で来た馬を警戒しています。他は走ったことがあるメンバーですので」

「それはスティールソードやカタルシスといった馬でしょうか」

「それもそうですし、ヤッティヤルーデス等《など》といった海外勢も意識しています。ですが私はこの馬の絶対能力に自信があります。この馬ならどんな枠順でも勝てると確信していますし、展開に泣かされるような事にもなり得ません。私はこの馬が最強だと信じています。竹田くんには秋に三本指を立ててもらいたいですね」

「おお、それは三冠宣言ということですか!?」

「そうとって頂いて構いません」

「竹田騎手、どう思いますか！」

「責任重大ですね。でも、僕とライダーなら出来ると思ってますよ」

ストームライダー陣営への取材は終始強気の発言が飛び出し、そのままの勢いで締め括られた、と報じられる事となる。


「はぇ？　取材？　ウチにですか？」

小箕灘は間抜けな声を電話口にぶつけた。

何しに来るんだ？　いや、そりゃマルッコの取材に決まってるんだろうが。

困惑も一入《ひとしお》に耳をそばだてる。

『はい。ダービー前の厩舎にお邪魔してインタビューをさせていただきたくて』

「あぁ。動画サイトなんかでおたくが公開しているアレですか。うちの厩務員なんかあのシリーズ好きみたいで結構見てますよ」

羽賀に居たころ、クニコがスマホを片手にGI馬を前にした調教師のインタビュー動画を見せに来た事があったため記憶していた。普段見れない競走馬たちの姿が見れると評判で、人懐っこい馬の動画などは多くの再生数を記録しているのだという。普段から馬の世話している癖に、他所《よそ》の家の馬なんか眺めて何が楽しいんだかと小箕灘は思ったりもしたのだが。

『それはありがとうございます！　それで、ダービー前でお忙しい事とは存じますが、インタビューの件、如何でしょうか？』

小箕灘は少し考えた。

取材。あのマルッコに。普段のマルッコを見られてレースに何か不利があるだろうか。考えられるとしたら、見慣れない人間が厩舎に入り込む事でストレスを溜め込むリスクだが、果たしてそんな事を気にするだろうか。むしろ不届き者だったとしてもりんご一つで懐柔されそうだ。

「私としては特に問題はないんですがね、一応間借りしている身分なので須田さんとこに聞いてみない事にはなんとも言えませんね。確認するんで、折り返しますわ」

『あ、はい！　よろしくお願いいたします！』


「須田さん」

「ン？」

事務所へ顔を出すと、厩舎の主、須田光圀《みつくに》は何故《なぜ》かお手玉をやっていた。顔を向けた所為《せい》でぽとぽと落ちた五つの手玉を拾いながら小箕灘に話を促す。

「コミさんどうかした？　なんかよう？」

「用事はあったけど、それどうしたの」

「これかい。これはねぇ、孫が家庭科の授業で作ったんだってよ」

「はぁ。お孫さんが」

須田は破顔して手の平に溢れるそれを小箕灘に差し出す。

手にとって見ると、別にどうということのない――強いて目を凝らせば縫い目が時々ぶれている――代物だ。相変わらず変なことする人だなと思いつつ返却する。

「意外と覚えてるもんなンだなぁ。昔姉貴にみっちり仕込まれたもんだからよ、まだ出来るかなぁと思ってやってみりゃ、これがやれるもんだな。七ついけたぜ」

「へぇ。俺も昔は妹に付き合ってやったもんだが――いやそうじゃなくてね。須田さん。ミドリチャンネルからうちのマルッコにカメラ付きで取材が申し込まれてさ。お伺いを立てにきたんだけど、受けてもいいかな」

「取材？　あーダービーか。いいよなぁコミさんとこはダービーでれて。うちのはダイスケがあんなザマだから全く縁がねぇよ」

この言葉を吐いて嫌味に聞こえないのが須田の良いところだろう。須田の言うダイスケとは皐月賞で爆発四散した管理馬ダイランドウのことである。須田は短距離路線で進めたかったのだが、オーナー側がクラシック路線に意欲的であったため渋々皐月に使ったという経緯がある。その後手の平を返して短距離路線になどと言い出したので、今現在なんとか立て直そうと奮闘中だ。

「それで、どうだい」

「いいよいいよ。どんどん受けなよ。それで競馬が盛り上がるならいい事じゃない」

須田は業界でもきっての開明派で、取材の申し込みを断らない事で有名だ。厩舎に他所の人間を入れることを嫌う調教師が多い中、レース直前のピリピリする時期であろうが、出走予定馬の馬房前でのテレビインタビューなども積極的に受けている。

「外厩《がいきゅう》の連中なんか殆《ほとん》ど報道シャットアウトじゃん。それじゃ馬券買うファンはつまんねーよ。特にコミさんとこのマルッコなんか可愛い馬じゃない。テレビに出たらきっと人気でるぜ？」

「まぁ、そういう下心がないでもないんだけどね。じゃあ恩に着るよ。取材オーケーで返事する」

「おう。あ、そうそう。恩に着るならさ、ダービーの後うちのダイスケと併せてくれよ。あの二頭、妙に仲がいいじゃん。なんかいい結果になりそうだしさ」

「おう分かった。じゃ、電話してくる」

併せとは併走調教。ようは調教の手伝いの要請だった。

ともあれそうした経緯で須田厩舎チーム小箕灘の馬房へテレビ取材がやってくる事となった。


なになにーなにしてんだー？　と興味津々で馬房から首を突き出すマルッコ。見慣れない女性の姿に首を傾《かし》げじーっと見つめている。やがてそこから視線を移してカメラを担いだ男性スタッフを見つめる。合点がいったのかそうでないのか、それを終えると傍らの小箕灘へ「ヒンッ」と小さく嘶《いなな》いた。

分かったような態度に何となく腹が立ち小箕灘はマルッコの頭を軽く引っぱたいた。叩かれた方はなにすんねんと視線で訴えたが、やがて興味を女性インタビュアーに移した。

え、今のなに？　と思いつつ、インタビュアー佐伯元子《さえきもとこ》アナウンサーは取材の段取りを説明する。

「事前にご連絡いたしました通り、この馬のいいところについての質問と、ダービーについての抱負、この二つにつきましてお言葉を頂戴したいと思います」

「はい、分かりました」

「それでは始めさせていただきます」

佐伯はカメラマンに手を上げ、それを受けたカメラマンが撮影開始のカウントダウンを始める。

▼▼▼

「本日は須田厩舎、を間借りする形で中央挑戦中の羽賀競馬小箕灘厩舎所属サタンマルッコ号のインタビューにお邪魔しています。お話を伺うのはこの方。小箕灘健《すぐる》調教師です。小箕灘調教師、本日はお忙しい中取材をお受けいただきありがとうございます」

「いえ、こちらこそうちの馬を取材していただいてありがとうございます」

「さて、近年地方所属ないし地方出身からの日本ダービー参戦が途絶えていた中での出場おめでとうございます」

「ありがとうございます。多くの方の協力、並びに多くの幸運に恵まれ、晴れの舞台へ上がる栄誉を得ました」

――サタンマルッコが馬房の柵からしきりに首を伸ばしている。それを気にしながら答える小箕灘調教師。

「羽賀競馬に携わる方々からの激励やお祝いも多かったのではないですか？」

「そうですね。普段は結構、ライバルというか、同業他社みたいな感じでちょっとピリついてる部分があるんですが、今回マルッコのダービー出場に関しては沢山の方からお祝いのお言葉を頂きました。どちらかというと栗東《こっち》の方々からのほうが、距離が近い分より直接的にお祝いされたかもしれませんね。この馬、栗東トレセンの皆様に可愛がって頂いているので」

「その、可愛がって頂いている、というのは？」

「いやほんと、そのまんまですよ。この馬、愛嬌《あいきょう》だけは一人前なもんで。なぁマルッコ」

——小箕灘調教師の声に反応して、サタンマルッコが嘶く。

「あっ、可愛い」

「こんな感じでね、名前呼ぶと返事するんですよ。だから皆様面白がっちゃって。馬場に出る時なんかいっつも声かけて頂いていますよ」

「人気者なんですね」

「ええ。ありがたいことです」

「そんなサタンマルッコ号ですが、小箕灘調教師から見て、この馬の競走馬として強いところを教えてください」

「はい。うーん、色々あるんですが、私は頭が良い事だと思ってます。つまり賢い」

「賢い。サタンマルッコ号がレースを走っている姿からはちょっと結びつき難い言葉が飛び出しました。それはどのような所から感じていらっしゃるのでしょうか」

「はい。まぁ見ていると賢いというより小賢《こざか》しい部類の知恵者だとは思うんですがね。あぁほらマルッコ。噛《か》まない」

――この日、レースのフリルがついた服を着ていた佐伯アナウンサーの裾を狙っていたサタンマルッコの頭を叩く小箕灘調教師。サタンマルッコは拗《す》ねたのか馬房の奥へ引っ込んでしまう。

「えーと、こういう所ですね。羽賀に居たころから悪戯《いたずら》というか、結構悪さを働いていたもので」

「悪さ、というとどういった事なんでしょう」

「いやぁ～こいつには散々手を焼かされましたね。脱走とか盗み食いとか、調教サボったりだとか、色々です。この馬の小賢しいところはね、人間が本当に怒る事は絶対やらないんですよ。人の顔色を窺うのが得意とでも言うんですかね、なんというかそういう不思議なズル賢さみたいなモノが明確に宿っていますよ。あ、スカート気をつけてくださいね。この馬ヒラヒラしたものを見かけると咥《くわ》える癖ありますんで」

「あ、あはは。そういった部分がレースになると良く働くと」

「ええ。あ、いや全部が全部良く働いているわけじゃないんですがね。頭がいいもんだから騎手の命令に従わなかったりもするんですよ。そうですねぇ、皆さんに分かる形で現れている物を挙げるとしたら、この馬スタートが抜群に上手《うま》いでしょう。あれなんかが賢さの現れですね」

「ははー。なるほど。頭がいいから、ゲートが開くタイミングを理解している、と」

「そうですね。というよりこれは高橋《たかはし》騎手なんかが言ってたんですが、ゲート入りが終わって係の人たちが離れていよいよスタートとなると、アイツ走る体勢を取るんだそうですよ。スタートを上手く決めれば勝ちやすくなる、なんともズルい事考える馬だと思いませんか？」

――ゲートの開閉は全馬ゲート入場後、発走係の操作により行われる。手伝う厩舎関係者や職員は枠入りが終わるとかなり忙しくゲートを離れる。

「あはは。そうなのかもしれません」

「今後の取り組みとしては、その賢さをレースへ向けてやることだと思っています」

「はい。ありがとうございました。続いてですが、ダービーへ向けての抱負をお願いいたしま――きゃあ!?」

「ん？　あ！　こらマルッコ！　下から出てくるなっていつも言ってるだろ！　というかスカート離せ！」

――柵の下から寝そべったサタンマルッコが身体《からだ》半分這《は》い出て、佐伯アナのスカートをもぐもぐ咥えている。

「はい。ということでインタビューの途中でサタンマルッコ号が馬房から出てしまうというアクシデントに見舞われましたため、厩舎の外に出てまいりました」

「どうもうちのマルッコがすみません」

「ヒン」

――景色が変わって須田厩舎前。馬房からサタンマルッコが出てしまったため、屋外で並んでインタビューを続行することに。サタンマルッコはどこか得意気だ。

「ああいったことはよくあるんですか?」

「誰かが居るうちは滅多にやらないんですが、夜中とか扉を開けとくと間違いなく出ちゃいますね。普通の馬はああいうことしないんですけどね。手を焼かされています。はい」

「馬って横這《よこば》いになって移動できるんですね」

「いや普通無理ですよ。無理というかそういうことしないですね。だから馬房の柵は通気性とかを考慮して下のほうは人が通れるくらいに開いてるんですよ。いっそのことベニヤかなんかで埋めてしまうか……いや、こいつ普通に柵とか乗り越えるしなぁ……」

「ご苦労なさっているみたいですね」

「まぁ、もうこんなの今更ですよ。こいつに日本ダービーなんて凄い所にまで連れて来て貰えたんです。今更細かい事言いませんよ。

ダービーの抱負でしたね。ストームライダー他、世代の優駿《ゆうしゅん》が集まる場に出場出来る事を誉れに思います。勿論《もちろん》、出走する以上勝利を目指して頑張ります。可愛い馬ですんで、皆さん応援してやってください」

「ありがとうございました。以上、小箕灘厩舎サタンマルッコ号についてのインタビューでした」

「ヒヒン」

「お前は本当にもー」

「あはは」

▲▲▲

現在のグレード制導入以前より競馬には八大競走と呼ばれる大きなレースが存在した。その中でも競馬の本場イギリスにあやかり、三歳（旧四歳）のみに出場が許される三つのレースを三冠レースと呼び、それは現代にまで続くＧⅠ競走皐月賞、日本ダービー、菊花賞となった。

皐月は仕上がりの早い馬が勝つ。ダービーは運のいい馬が勝つ。菊は強い馬が勝つ。

かつてより続く三冠レースに対する格言である。

皐月賞には一定の理がある。三歳春という難しい時期に競走馬を心体共に仕上げきるのは並大抵の事ではない。後の実力馬であっても皐月賞を取れなかった者は枚挙に暇が無い。

菊花賞。これはやや時代にそぐわない内容となりつつある。

そもそも昨今のレースプログラムにおいて３０００ｍという距離はマイノリティになりつつある長距離という区分であり、近代競馬においてこの距離に適性を持つ馬は年々減少しているといってもよい。そんな情勢の中、強いという括りには疑問を覚える。

そして運のいい馬が勝つというダービー。

ダービーにおける運のよさとは一体なんであるか？

漠然とツキのような物を想像されるかもしれない。それはある意味で正しい。どれだけ実力的に優れた馬と呼ばれようとも、一度どこかでケチがつくと不思議なほど全てが悪く進む。だがそうではない。もっと物理的な要素として誰の目にも明らかな形で明示される。

枠順である。

枠順。レース前週の木曜午後二時に機械的な抽選で決定される発走ゲートの番号だ。

現代ではコースの内側①から外側⑱までの番号が存在する。驚かれるかもしれないが、原則として競馬は内枠が有利である。少し考えれば当然だ。最内枠と最外枠では20mほど位置が異なり、それはオーバルコースが主流の日本競馬においてそのまま第一カーブへの距離差となる。ありえない仮定だが、同じ馬が同じ速度で進んだ場合、必ず①の馬が先頭を走る。

では何故このような不利が公正を謳《うた》う中央競馬において放置されているかというと、競馬が記録会ではなく競走であるからだ。賭博を前提とした競技に揺らぎは必須であり、その要素がこの枠順だからだ。

日本ダービーで使用される東京競馬場２４００ｍコースは内枠が圧倒的に有利である。

これはもう歴代の優勝馬が証明している。

運だけではないだろう。しかし運の良さを持たない馬は勝てない。その通りだ。

本当に強い馬が外枠に入らないから勝てないのか。

いい枠を引くから強い馬なのか。

長く議論されがちな話題である。ただ、一つの記録として内枠の勝率は外枠と比べ圧倒的に高いという事実があるだけだ。

いいではないか。

いつか圧倒的な存在がそれらのジンクスをねじ伏せて勝てば。

ジンクスなんて下らない。世の中に風穴が開いた気がするはずだ。

いいではないか。

実力一強とされる強い馬が有利な枠から圧倒すれば。

やっぱりね、と勝ち馬に乗って、少し膨らんだ財布を抱えて月曜日の仕事へ向かえば。

だから競馬は面白い。


またか。

昼下がりの中川牧場。先程からチラチラと時計を見ては電話の近くをウロウロする。そんな夫の姿を中川ケイコは呆《あき》れた眼差《まなざ》しで見つめていた。

「ねえあなた。あなたがそうしていてもマルちゃんの枠順は変わらないわよ？」

ケイコの言葉に牧場長兼半農家、最近は少し羽振りのいい男中川貞晴はキッと鋭い視線を返した。

「俺がこうしていれば、マルッコが内枠になるかもしれないだろ！」

「引くのは職員さんで、決めるのは機械なんでしょう？　第一あなたは出た結果を小箕灘センセから教えてもらうだけじゃない。何の関係があるのよ」

「うるさい！　あーもう喉が渇いた！　水飲んでくる！」

平行線だ。

まじないに頼るなら無意味に徘徊《はいかい》しないで祈禱《きとう》でもしていればいいのに。

口に出しかけたが、実際にやられると間違いなく鬱陶しいのでケイコは茶請けの煎餅を口に放り込んで静観を決め込んだ。

電話が鳴る。間の悪い主人がドタバタ台所から駆け込んでくる。深呼吸をしてから受話器を上げた。股の間からポタポタ水滴が垂れている。大方飲みかけの湯のみごと水を零したのだろう。

「はい中川牧場――小箕灘センセですか!? あ、はい。それでマルッコは……8枠？ 8枠16番？は、へ、は……はち、わく……あ、はい……はい……はい」

ややあってサダハルは受話器を置いた。

「8枠16番ですって？」

振り返った夫は茫然《ぼうぜん》とした表情。

「ああ。ああ。ああ……お終《しま》いだぁ……せめて7枠ならまだ……あぁ……あああぁぁぁ～」

「んもう。別にどこだっていいじゃないですか。それに8枠って言っても16番なんでしょう？ 外にまだ二つあるんだからいいじゃないですか。マルちゃんが大舞台に出る。それだけでも凄いことじゃない」

「おわりだぁ、俺の夢がぁ」

「羽賀で走れば御の字とか言ってた癖に、いっちょまえにダービー制覇を夢見てるんじゃありませんよ。ほら、そんなことよりも。週末は東京に出るんですから準備してください。もう明日には飛行機に乗るんでしょう？」

「いや、俺はウチでまってる……」

「んもう！　関係者席で着る服を買ってくれるって約束だったじゃないですか！　ついでに二人で東京観光としゃれ込もうって！　それから健治《むすこ》とだって久しぶりに会う約束してるのよ！　飛行機代だって払ってるし！　いつまでもグズグズ言ってないでさっさと用意しなさい！」

この人、私が居なかったらどうなってたのかしら。魂の抜けたサダハルを揺さぶりながらケイコはそんな事を思った。


携帯端末を下ろした小箕灘は小さく溜息を吐《つ》いた。案の定、中川が気落ちしていたからだ。やっぱりオーナーが持つあの貧乏神気質の所為で外枠になったのか？　などと益体もない事を考える。

「8枠でしたねぇ。作戦、どうするんです？」

5月26日木曜日午後二時ちょっとすぎ。いよいよ三日後に控える日本ダービーの枠順が発表され、各陣営が一喜一憂しているちょうどその時。チーム小箕灘もまたその渦中にあった。

8枠16番。最悪とは言わないがもう少し内側が良かった。しかも、

「ストームライダー2枠3番。ラストラプソディー1枠2番。スティールソード3枠6番。カタルシス3枠5番。いやー有力どころが皆内に入りましたね。あとヤッティヤルーデス1枠1番も個人的に熱いです」

クニコの言うとおり、有力どころが皆内枠というついてなさ。忖度民激怒《そんたく》待ったなしである。

「どうするったって、やることは一緒だろ。後は通じるかどうか、それだけだ」

「これストームライダーが先頭取《ハナ》ったらどうするんです？　ありそうじゃありません？　そういう展開」

「ない」

「どうして」

「ないことを祈る」

「……じゃあスティールソードがハナ？」

「ない」

「なんでです」

「ないことを祈る」

「んなアホな！」

「うるせえ！　今更馬の力信じないでどうすんだ！」

重たくなってきた胃を押さえながら、小箕灘は苦りきった顔でそう言った。

5月28日土曜日夜。東京競馬場騎手調整ルームの一室にて、縦川はベッドに横たわりながらぼんやりと天井を見つめていた。

調整ルーム内でのレース前夜の過ごし方は騎手によって様々だ。縦川も普段は軽食片手に他の騎手と雑談したり、ビリヤード等各種遊技に興じる事もある。

ただやはり、世代限定戦……特にダービー前夜は調整ルームも雰囲気がいつもと異なる。浮き足だっている騎手、平静な振りをしてやはり浮き足立っている騎手、他人を動揺させようとしにくる騎手、ピリピリ神経質になっている騎手。

自分は神経質になっているな、と縦川は苦笑する。今日だけは他人と空間を共有したくなかった。食事を早々に切り上げ、それっきり部屋に閉じこもっている。

一昔前と比べて、心理戦を仕掛けてくる騎手は減った、ように思う。騎手の気質が変わったのか、世代の気性が穏やかになったのかは分からないが、それ自体は好ましい事だと考えていた。

新人時代、ベテラン騎手からのやっかみや圧力には辟易《へきえき》とさせられていたからだ。

番外戦も含めて競馬だと言うのも理解するが、付き合わないのもまた競馬である事を理解して欲しかった、というのが縦川の正直な気持ちだった。

枠順か。

脳裏に浮かぶ無機質な番号8の16。枠などどこでも構わないと思っているが、やはりもう一つか二つ内側の方が良かった――などと考えているのは弱気の表れだろうか。

脳内で本番のあらゆる展開を想像する。逃げるストームライダー。逃げなかった本命各馬。思わぬスローペース。もしくはハイペース。まさかの落馬。浮かんでは消えるそれらは長くは続かない。これまでも散々繰り返してきたからだ。

この馬で。サタンマルッコでダメだったら。

ふと、そんな考えが脳裏を過《よ》ぎった。

弱気は良くない。この馬の実力で負けることなどありえない、そう考えろ。

誰かが言った。

「それほどの馬か？」

そうだとも。あの馬の実力、才能を正しい形で評価できているのは、きっと己だけだ。

「十四番人気の馬が？」

世間の評価は必要ない。むしろあっと驚くだろう。それに馬券の人気は馬券の人気。実力とは関係がない。

「ならばなぜ悩んでいる？　いや迷っているな？　この馬でよかったのかと」

そんなことはない。運命だったんだ。この馬こそが。俺の。

「いいやそうだ。お前はストームライダーに乗りたかった。美浦のトレセンで一目見た瞬間から、魂を奪われていた。違うか」

ちがう。

「ちがわないさ。お前はただ勝ちたいだけだ。勝てれば乗る馬はなんだっていいんだよ」

うるさい。俺はジョッキーだ。勝ちを求めて何が悪い。

「言葉が足りないぞ縦川友則。ただのジョッキーじゃない。終わったジョッキーだ。もういい年だ。息子に代を譲れ。老害となるより前に潔く身を引くべきだ」

俺は終わってなんかいない。

「今年に入って騎乗回数はどうだ。リーディングを離れて何年になる？

その少ない騎乗でどれだけ勝った？

その結果が今だろう。ついにダービーで乗る馬さえ困るようになって、あんな駄馬に跨《また》がらざるを得なくなった。昔のお前ならいい馬の方から転がり込んできたはずだ。例えば、ストームライダーみたいなな。分かるだろ？　お前は落ち目だ。もう終わってるんだよ」

俺はまだ終わらない。終わってたまるか。

「いいや、ちがうね。終わったっていいと考えている。ダービーさえ勝てば」

……ああそうだとも！

ダービーだ！　ダービーが欲しい！

マグレでも、泥臭くても、汚くてもなんでもいい。ダービーが欲しい！

皐月でも菊でもジャパンカップでも有馬でも天皇賞でも、凱旋門《がいせんもん》でもない！

俺は！　俺は、俺は！

俺はダービージョッキーになりたい！

勝ちたい。勝ちたいんだよ！

どうして俺だけ勝てねぇんだ。２４００ｍなんかどこだって同じだろ。なんでダービーだけ勝てないんだ。アイツもコイツも、何度も勝ってるんだから俺に譲れよ！

勝ちたい。なんでだ、チクショウ。俺が何したっつーんだ。勝たせろよ。勝たせろよ！

一度考えてしまうともう止まらなかった。堰《せき》を切ったように苦い想いが次々と溢れて止まらない。

呻《うめ》きながら乱雑に放られたバッグに取りすがる。もどかしくファスナーを開き、目的の物を取り出す。それはストップウォッチだった。

押す。止める。

それは競馬学校時代から使用しているラップ計測用の練習道具だった。望みのラップを身体に刻み込むため、何度も何度も押しては止めてを繰り返した。いつしかその行為は代償行為へと変化し、緊張した時や強い重圧を感じた時、冷静になるまで繰り返されるようになった。

押す。止める。押す。止める。

何度も何度も何度も何度も――

刻んだ時は万を越え、いつしか太陽は東より顔を覗《のぞ》かせていた。

窓から差し込む薄い朝日が縦川を正気に戻した。

ああそうか。

今日は日本ダービーだ。

夜が明けた。

日本ダービーが、きてしまった。

DELTA
DELTA
Sport
Move

【朗報】サタンマルッコ、可愛い

1 名無しさん@競馬板 20NN/05/NN ID:xxxxxxxG0

URL(***********)

なんやこのうまぁ……

7 名無しさん@競馬板 20NN/05/NN ID:xxxxxxxc0

リアルベアナッｋ

8 名無しさん@競馬板 20NN/05/NN ID:xxxxxxx40

フリートもリアルベアナッｋ呼ばわりされてたな

12 名無しさん@競馬板 20NN/05/NN ID:xxxxxxxa0

出れそうだなとは思ってたがほんとに下からでてきた馬は初めて見たｗｗｗｗ

17 名無しさん@競馬板 20NN/05/NN ID:xxxxxxxH0

これはクソ可愛い

でも馬券は買わない

22 名無しさん@競馬板 20NN/05/NN ID:xxxxxxxd0

女性人気でそう

23 名無しさん@競馬板 20NN/05/NN ID:xxxxxxxw0

パドックで一目ぼれとかいって買いそう

25 名無しさん@競馬板 20NN/05/NN ID:xxxxxxxv0

ゆうて 100 円やろ

26 名無しさん@競馬板 20NN/05/NN ID:xxxxxxx10

佐伯アナのスカートもぐもぐカットした無能をクビにしろ

というかそこかわれ

---

27 名無しさん@競馬板 20NN/05/NN ID:xxxxxxx20

女は競馬チャンネルとか見ないだろ

---

30 名無しさん@競馬板 20NN/05/NN ID:xxxxxxxf0

全俺に人気

---

31 名無しさん@競馬板 20NN/05/NN ID:xxxxxxxK0

>>30

お前写真の奴だろｗ

---

33 名無しさん@競馬板 20NN/05/NN ID:xxxxxxxf0

>>31

な、なぜバレた……

ダービーに限らず、GⅠ開催の日は競馬場の空気が違う。

それは人の多さから来るものであったり、普段見かけない出店のせいであったりと様々だが、形容するならば〝祭りの雰囲気〟そのものだろう。

ここに、その空気にアテられてしまった男が一人。サタンマルッコ生産者兼オーナーという肩書きで関係者席の石像となっている中川貞晴その人である。

大歓声が天覧席のガラスを叩いた。トラックでは第8Rの出走各馬がゴール板前を駆け抜けていた。遠めに見ても分かる着差の決着だった。

「あなた！　ねえあなた！　見てこれ、当たったわ！」

よそ行きの婦人服に意気も高々なケイコが的中した馬券を見せながらサダハルの肩をバシバシ叩く。サダハルはされるがまま身体を揺らし、あーとかうーとかゾンビのような呻きを返すばかりだ。

久しぶりの外出をすっかり楽しむ気マンマンのケイコと正反対に、サダハルは朝方から緊張しきりだった。別にあなたが走る訳でもないのに、とケイコに星の数ほど呆れられたがサダハルに言わせればそういうモノではないらしい。

「ねえあなた。そろそろパドックに向かう時間よね」

「パドック……い、いい。俺は客席でいい」

「もー何をビクビクしているのよ。よその牧場の方と挨拶しなくちゃいけないでしょ？」

日本では競馬は賭博としての側面を強調されがちだが、フランスやイギリスなどではレジャーないしは社交の場としての面も強く持つ。ＧⅠのオーバルパドックの真ん中でなにやら人が集まっているのを見かけると思うが、アレは日本で発展した社交の形だ。

気の弱いサダハルとしては、妙にきらきらしたやんごとなきご身分の方々と肩を並べるのは遠慮したいところだった。

「なぁ、本当にいかなきゃだめか？」

「行くの。胸を張りなさいよ。マルちゃんは世代の頂点を決める18頭のうちの1頭なのよ。子供の晴れ舞台にしょぼくれて隠れてる親がどこに居ますか。ほぉら！」

「あぁわかったよ行くよ。行くから離せよ」

「それにさっき当たった馬券も交換しなくちゃ」

「幾ら取ったんだよ」

「３連単４７２０倍」

サダハルは盛大に吹き出した。


「調子はどうだよ」

競馬場の地下馬房に顔を出した小箕灘は、クニコに訊ねた。

「センセイが一番知ってるでしょ」

「それもそうだな」

しかしなんだな。こいつ、意外と正装が似合うじゃねえか。

馬産関係者にしてはデブだデブだと嫌味を言われることの多いクニコだが（実際普段から乗りをやる人間にしては体重管理がなっていない）裏を返せば一般的にはスタイルが良いと評されるだけの身体つきをしているという事でもある。生地の厚いフォーマルなスーツを着せれば、普段のぐーたらでてきとーな気配も鳴りを潜めていた。

クニコの意外な面に驚きつつ、本日の主賓に目をやる。

「ヒン」

よぉ。とでも言うかのようにマルッコは小箕灘に断いた。

この期に及んでジタバタしないと決めていたが、やっぱり心配なものは心配なので足元を診る。

迷惑そうにするマルッコを宥《なだ》めすかしながら、蹄鉄《ていてつ》や足の具合を確認する。

「センセイも落ち着きませんか？」

「お前は随分余裕じゃねえかよクニコ」

「だってあたし、引いて歩くだけだし」

「お前結構大物だな……一応二人引きで周回する予定だが、オーナーはたぶんまともに歩けねぇから俺とお前で引くことになりそうだ」

「あはは。まぁあのオーナー、すぐ緊張しますもんね」

「そう言ってやるなよ。俺だって人のこと言えねぇんだから」

膝が震えちまって。見せると、クニコはマルッコに目をやり、遠くを見つめた。

「そういや中央のデビュー戦の時も二人引きでしたね」

「ああ。阪神のな。あんときゃ酷《ひど》い目に遭ったな。しかし懐かしいな。まだ二ヶ月しか経《た》ってないってのに」

「あの頃、今日の日をこんな風に迎えるなんて思ってても見なかったですよ」

「俺は、ちょっとは思ってたぞ」

「ほんとですかぁ？」

「お前だって知ってるだろ。オーナーに啖呵切った話」

「それは聞いてますけど、今日こうやって、いよいよパドックに出るぞーみたいな場面、想像できてました？」

「……まぁ、出来てなかったな」

「何かあたし、イマイチ今が現実って感じしなくて。もしかしたらあたし達はまだ羽賀の馬房にいて、皆で昼寝かなんかしちゃってて。皆で同じ夢を見てるんじゃないかって」

「マルッコがダービー出走か。ずいぶん都合のいい夢だな」

二人は顔を見合わせて笑った。

何笑ってんだよとマルッコが不機嫌そうに鼻を鳴らした。それがおかしくて二人はまた笑った。

確かに都合のいい夢である。だが、いい夢だ。小箕灘はそう思った。

「さて。いよいよ日本ダービー出走各馬のパドック周回が始まったようです。パドック解説はお馴《な》染《じ》み、竹中《たけなか》さんでお送りいたします」

「よろしくお願いします」

「それでは順番に見ていきましょう。①番ヤッティヤルーデス。５０８ｋｇ、国内での前走がないため馬体重の増減は記録されておりません。現在のところ七番人気となっています」

「んー……ちょっと元気が無いようにも見えますが、馬体のハリ、トモの造りなんかはいいものを感じます。外国の馬ということでね。環境が大きく変わった中でもこの落ち着きですから、実力を十分発揮出来る状態にあるんじゃないでしょうか。返し馬あたりで闘志に火が付けば、えぇ。この絶好枠ですからチャンスあるんじゃないでしょうかね」

「②番ラストラプソディー。４７４ｋｇ、マイナス４ｋｇです。現在のところ二番人気です」

「いやぁ見違えました。皐月の時は余裕残しだった訳ですが、トモのハリ、それに気合の入った周回してますよ。馬体も絞れてガッチリしてきましたね。十分実力を発揮できる状態にありますよ」

「③番ストームライダー。４９８ｋｇ、プラス２ｋｇ。１・４倍の圧倒的一番人気に支持されています」

「相変わらず凄い身体付きしてる馬ですねぇ。惚《ほ》れ惚《ぼ》れします。前走皐月賞であれだけ激しいレースをしてからのプラス２ｋｇが実に頼もしく感じます。山中厩舎渾身《こんしん》の仕上げといったところでしょうかね」

「④番オーダナテンプク――……」

「⑯番サタンマルッコ。４７０ｋｇ、プラス６ｋｇ。現在十四番人気です」

「この馬は栗毛の割にはパドック映えしない馬なんですがね、これがどうして今日はよく見えますよ。今日は集中して周回してますね。なんでしょうかねぇ、この馬が当たり前のことをしているだけで物凄い驚きがあります。発汗も見られずイレ込み等は問題なさそうですねぇ。非常に。非常にいい状態なんじゃないでしょうか？」

「続いて⑰番シルバーシックル――……」

「さて、パドックでは騎乗号令がかかり各馬へジョッキーが駆け寄っているところですが、竹中さん。ここでいつものようにパドックの総評をお願いします」

「はい。ではまず③番ストームライダー。皐月賞を勝った時はちょっとチャカチャカしてたんですが、今日はどっしり構えて落ち着いていますよ。馬体に関しては文句の付け所がありません。人気に応え得る、完全な仕上がりと言って良いでしょう。

次に⑥番スティールソード。青葉賞の時ほどではないのですが、あれはあの時が良すぎたと言ってよいもので、今日が決して悪いという訳じゃありませんよ。状態は良好、好走が期待できるんじゃないかと思います。

それから②番ラストラプソディー。馬っぷりに磨きがかかってますねぇ。雄大な馬体をぎゅっと凝縮したような鋭利さを感じます。展開次第では逆転もあるんじゃないでしょうか。

さてそして私の本命。あえて今日本命とか対抗だとかそういう言葉を使ってこなかったのですが、それはこの馬のためだったんですねぇ」

「竹中さん、嬉《うれ》しそうですね」

「はい。私の本命、⑯番のサタンマルッコです。パドックでも何とも怪しい雰囲気を醸し出してますよ。この馬は色々と変なところがある馬なんですけれどもね、今日はどういう訳だかやけに集中しているじゃありませんか。元から能力は十分だと思っていたんですが、これはひょっとすると、とんでもない物が見られるかもしれませんよ」

「竹中さんはスタジオでの予想でもサタンマルッコの頭からの馬券で予想していましたね。自信の本命といったところで結果はいかに」

「ふふふふー」

「第NN回日本ダービー、間もなく本馬場入場となります」

◆

「それでは日本ダービー、本馬場入場です。実況は馬場園《ばばその》アナウンサーです」

《晴天に恵まれました東京競馬場。芝、ダート共に良の発表。

まさに晴れの日を迎えるのに絶好の日和でありましょう。
世代一強と言わしめた皐月賞馬の二冠への挑戦。
これを阻む者が現れるのか、それとも並み居る強敵を倒して二冠を手にするのか。

第NN回日本ダービー。それでは出走各馬の本馬場入場です。
今年も、世代の頂点を決めるレースがやってまいりました。
20NN年生まれ8032頭の頂点を争う、世代の優駿18頭をご紹介いたします。

名前は偶々《たまたま》。フランスから来た秘密兵器。
ルーデスさん家《ち》の一番馬。誰もやらなきゃ俺がやる。
1枠①番ヤッティヤルーデス、海馬《かいば》英俊《ひでとし》！

奏でる音色は歓喜に染まるか。
父ラングランソナタのラストクロップが捧げる狂詩曲。
1枠②番ラストラプソディー、川澄《かわすみ》翼《つばさ》！
歓声に包まれてこの馬がやってきた。
二歳チャンピオンは三歳になっても強かった。

最《も》早《はや》実力を疑う者は無いでしょう。
ただ一頭だけが持つ三冠馬への挑戦権。
竹山《たけやま》牧場英知の結晶。血に刻み込まれた優駿の軌跡。
さあ嵐を引き連れて！
2枠③番ストームライダー、竹田豊《ゆたか》！

決して楽な旅路ではなかったでしょう。
想いを繋ぎ、たどり着いたる優駿の門。
成れば全てがひっくり返る。
2枠④番オーダナテンプク、田《た》島《じま》歩《あゆむ》！

打たれても打たれても耐えぬき繋いだこのレース。
重賞は取った。残るは栄冠唯《ただ》一つ。
直線勝負の末脚一気。炸裂《さくれつ》するなら今日ここぞ。
3枠⑤番カタルシス、後《ご》藤《とう》正輝《まさき》！

切り裂き駆けた府中24。
父より継いだ鋼の魂。

嵐を切り裂く剣となるか。
3枠⑥番スティールソード、細原文昭！

ドイツが生んだ名優の仔《こ》。
世代を制してその名を示さん。
4枠⑦番イイヨファイエル、下田《しもだ》鉄平《てっぺい》！

ハナ差で摑《つか》んだ皐月賞出場。クビ差で繫いだ日本ダービー。
進化を続けた強者の細胞が今日は勝ち取る優駿の栄冠。
4枠⑧番ゲノム、池園勇美《いけぞのいさみ》！

歩んだ道のりは誰よりも長く。
急がば回れ。行けば分かるさ。
5枠⑨番グルグルマワル、熊田《くまだ》敏也《としや》！

苦戦の続く世代戦。
名前に夜を冠せども。明けない夜など存在しない。
行くは夜の向こう側。

5枠⑩番ナイトアデイ、福岡祐一《ふくおかゆういち》！
世界を制したステッキが特別な一日に魔法をかける。
6枠⑪番ホーリディ、アンドリュー・クワセント！
二歳札幌《さっぽろ》で見事に魅せた豪脚一閃《いっせん》。
強く短く大地を踏みしめ、
6枠⑫番アスノスタッカート、澤沼修治《さわぬましゅうじ》！
結束が生んだ約束された夢舞台。
鋼の絆《きずな》に国境は無い。
7枠⑬番コーネイアイアン、イデラート・ホックマン！
重賞二勝の北の韋駄天《いだてん》。
海と山と黄金を携えて。
7枠⑭番マリンシンフォニー、山平金次《やまひらきんじ》！
説明不要のいぶし銀。人馬一体、

7枠⑮番メイジン藤沢《ふじさわ》！

正体不明の栗毛の怪馬。
羽賀から来た丸《アイツ》。
8枠⑯番サタンマルッコ、縦川友則！

鞍上海老名《えびな》は年男。
銀の鎌を振りかざし、取るはダービー唯一つ。
何の因果かピンクの帽子。
8枠⑰番シルバーシックル、海老名外志男《としお》！

苦節二十年、初めて摑んだ夢舞台。
8枠⑱番ヘルメスアイコン、久留米栄吉《くるめえいきち》！

以上、出走18頭のご紹介でした》

◆

《さぁ、ファンファーレを終えて、いよいよ各馬がスタートゲートに収まっていこうという所。正面スタンド前では出番を今か今かと待ち構えている人馬が輪乗りをしています。

皐月賞馬ストームライダー、鞍上竹田豊の心境は如何なものか。

或いは逆襲を狙うラストラプソディー、川澄翼はどうか。

生涯一度の晴れ舞台。導く騎手達の心境は如何《いか》に。


まず奇数番号の馬が収まって行きます。
①番ヤッティヤルーデスが収まり、③番ストームライダーも無事収まりました。
順調に各馬が枠入りを……っと、⑬番コーネイアイアンがちょっとゲート入りを嫌がりましたが、鞍上ホックマン騎手に促されて従いました。

続いて偶数番号の馬が収まってまいります。順調に枠入りが進んでまいります。

さぁ。さぁ。会場のボルテージが高まってまいりました。

最後に⑱番ヘルメスアイコンが収まりました！　係員が離れます。

第ＮＮ回……日本ダービー……スタートしましたッ！


スタート絶好⑯番のサタンマルッコ！　他出遅れもなく揃《そろ》ったスタートとなりました！

1コーナーへの先頭争い、好スタートの⑯番サタンマルッコがぐんぐん加速して先頭を奪う形。外のほうからすいすい進んで内へ寄せてまいりました。

内の方では②番ラストラプソディー③番ストームライダー辺りが前に出ている。
⑧番のゲノム、⑩番のナイトアデイは後ろに下げた格好で1コーナーへ各馬進んでまいります。
先頭は、今日も勢いよくハナを切った⑯番のサタンマルッコ。3馬身ほど切れて②番ラストラプソディー、いや⑥番のスティールソードが外から上がっていきました。その後ろ。その後ろに皐月賞馬ストームライダーが追走しているぞ！

内の方に④番オーダナテンプク、⑦番イイヨファイエルなどがいて、さらに⑪番ホーリディ、⑧番ゲノム、⑤番カタルシスなどが追走しているようだ。


おっと。

おぉっと。

場内がどよめいている。先頭のサタンマルッコが後続を大きく引き離し始めた。

2コーナーを抜けて間もなく1000mを通過……58秒と少し。58秒と少し！　これは速い！

これはダービーにしてはちょっと速い！

大丈夫なのか縦川。果たしてこの馬はそれでいいのか。どうなんだ縦川友則。この馬はそれでいいのか。


馬列が向こう正面を進みます。

先頭の⑯番サタンマルッコが二番手集団を12、3馬身離している。二番手集団先頭は⑥番スティールソード。切れて2馬身内ラチ沿いに②番ラストラプソディー。その外③番ストームライダー。後ろに④番オーダナテンプク、⑦番イイヨファイエル、⑨番グルグルマワルなどが居て、⑧番ゲノム、⑤番カタルシスが内ラチ沿い、⑰番シルバーシックル、⑮番メイジンはややかかり気味か外目を上がっていっていますが、この辺り馬群が一団となって固まっています。

その後ろに切れて1馬身①番ヤッティヤルーデス、⑫番アスノスタッカート、その後ろに⑱番ヘルメスアイコン、⑭番マリンシンフォニー、⑬番コーネイアイアン、最後方⑩番ナイトアデイといった体勢となっています。ナイトアデイ福岡騎手は腹を括ったか後方待機の大胆な騎乗をとりました。

ざわざわと。場内が静かにざわめき出しております。

先頭の⑯番サタンマルッコが向こう正面の坂に差し掛かります。後方とはリードを10馬身ほど空けているぞ。

二番手集団も間もなく坂に——おっとここで最後方⑩番ナイトアデイがすーっと押し上げてきた。にわかに色めき立つ各馬。

3コーナーに差し掛かる。ペースが一気に上がってきました。

二番手先頭は変わらず⑥番スティールソード。内の②番ラストラプソディーはもう外目に持ち出して抜き去ろうという構え。③番ストームライダーはその後ろで内に入れたようだ。

さぁ4コーナーの中間、後方集団が一気に加速して先頭を走る⑯番サタンマルッコとの差を詰めてきている！　⑦番イイヨファイエル、⑧番ゲノムは外に出した。⑩番ナイトアデイが①番ヤッティヤルーデス等《ら》を伴って一気に追い込んでくる！

直線を向いた！

サタンマルッコがまだ先頭リード2馬身！

スティールソードとラストラプソディーが追い上げてくる！　だがどうか脚色はやや鈍い！　後ろの方は更に伸びが苦しい！

残り400を切った！　サタンマルッコまだ先頭で、キタキタキタ！　後ろから内目を突いてストームライダーが物凄い勢いで襲い掛かる！

あっという間！　並ばない！　あっという間にスティールソードとラストラプソディーを抜き去り、サタンマルッコを、

サタンマルッコに、

サタンマルッコが、まだ粘る！　まだ粘っている！

サタンマルッコがまだ頑張っている！　懸命に粘る！

ストームライダー鞭《むち》が入る！　あと200！　後続との差は開いている！
竹田の右鞭が唸る！　ストームライダー追っている！
しかし！　差が詰まらない！　サタンマルッコまだ粘る！
いや、これはサタンマルッコ、伸びている！　1馬身、2馬身、差が開く！
なんだこれは！　どういうことだ!?
ストームライダーは伸びが悪い！
サタンマルッコだ。
サタンマルッコだ！
サタンマルッコだッ！
縦川の執念ッ！

勝ったのはサタンマルッコ、一着でゴールインッ！》

◆

直線を回ってから絶対に出さないと決めていた声が出た。

400を切った辺りで絶叫していた。

200を切った辺りではもう自分が何を言っているのか分からなくなっていた。

そしてゴール板を駆け抜けた瞬間。

わーとかおーとか、そういう文字に出来るような音ではない叫びを上げながら、同じく意味不明な音を爆発させているオーナー、クニコ、夫人と抱き合った。

ああ。

ああ。

ああ！

マルッコが勝った！

みたか！

◆

《……──二着にストームライダー！　三着入線はどうやら⑥番スティールソード！　無敗の皐月賞馬ストームライダー敗れるッ！　波乱の結末を迎えた日本ダービー！

勝ったのはゼッケン番号⑯番サタンマルッコだ！

嵐を引き連れて、府中２４００ｍを鮮やかに逃げ切りましたッ！

侮ってはいけなかった、この男、縦川友則の逃げを侮ってはいけなかった！

おっと場内のどよめきが大きくなりました。

あぁなんということだ。なんということでしょう！

第ＮＮ回日本ダービーはレコード決着！　２分22秒４レコード！

恐らく世代戦では塗り換わることは無いだろうと思われていた、２分22秒５を０・１秒縮めました！

恐るべき怪馬！　どうしてこうなったのかまるで分からない！

縦川は知っていたのか、知っていての騎乗だったのか、馬の能力を信じての騎乗だったのか。

今、２コーナーからサタンマルッコに乗り、縦川騎手が……あぁ。縦川騎手泣いています。声援に何度も何度も頭を下げながら、口元が描くありがとうございますの言葉。

相棒の背に揺られ、今、ゆっくりとスタンドへ戻って来ます。

何度も涙を拭いながら、縦川騎手が帰ってきました。

うん？　サタンマルッコが足を止めました。ゴール板の前です。縦川騎手も目を丸くしています。おやおやおや。なんでしょうね、もうこの馬には驚かされっぱなしです。

サタンマルッコ、ゴール板の前で高らかに嘶きました。歓声にも負けない美声を披露して……あぁ。

『ヒィィィン！』

『オォイッ！』

『ヒィィィィンッ！』

『オォォォイッ！』

ははは、あははは。本当におかしな馬です。コールアンドレスポンスとでも言うんでしょうか。スタンドのお客さんと掛け合っております。どうだと言わんばかりの勝《か》ち鬨《どき》。颯爽《さっそう》と駆け出して、今、地下馬道へ戻っていきました。

どこからどこまでも破天荒な馬です。全く訳のわからない競走馬です。

しかし一つ私達の胸に刻み込まれました。

彼こそが、今年のダービー馬なのです》

「放送席、日本ダービーを制しましたサタンマルッコ号鞍上、縦川騎手にインタビューいたします。

縦川さん、おめでとうございます」

「ありがとうございます」

「ふふっ、目が、赤いですね」

「いやぁ、お恥ずかしい。しんみり帰ってこようと思ったんだけどね、マルッコが騒がしくするもんだから、涙も引っ込んじゃったよ。ほんと変な馬ですよ」

「最後ゴール板前で嘶いていましたね。あれは縦川さんの指示ではなく……？」

「いやほんと、勝手にやり出しましたよ。いきなり鳴き出すからビックリですよ。普段から色々変なことする馬なんだけど、これは飛び切りですね。でもお客さんと息ピッタリで良かったです」

「そうだったんですね。では縦川さん。ダービージョッキーになって、どんな気分ですか」

「………言葉では言い表せないですね。僕もマルッコに合わせて、感情に任せて一緒に叫んでおけばよかったかな。形にするなら、たぶんそんな感じ。あ、でも一つ。

親父《おやじ》、勝ったぞ。俺、ダービージョッキーになったんだ。凄いだろ。

ダービーじょ……ダービージョッキーに、なたん、だ。俺が、やった……すいません、ちょっともう無理……」

「父の代から続いた因縁に決着をつけましたね。改めて、おめでとうございます」

「ありがとう、ございます………！　ご関係者の皆様並びに応援してくだしゃったファンのみにゃしゃま、本当に、ありがどうございまじだッ！」

第四章　彼らの目覚め

夢見心地で関東から栗東《りっとう》トレーニングセンターへ帰厩《ききゅう》し、どんちゃん騒ぎのサタンマルッコ祝勝会が明けて翌日。どれだけ騒ごうとも明日はやってくる。

朝の爽やかな日差しの下、サタンマルッコ担当厩務員《きゅうむいん》座間《ざま》邦子《くにこ》は痛む頭を押さえながら、ダービーの栄冠を手にした栗毛《くりげ》の変な奴《やつ》を引いていた。

レース後と輸送で疲労は見られるマルッコだが、それはそれとして普段通りの運動はこなさなくてはならない。馬を休ませるというと厩舎《きゅうしゃ》でゴロゴロさせるようなイメージを抱くかもしれないが、余程のことが無い限り競走馬は毎日運動している。犬などの動物と同じで、身体《からだ》を動かさない事がストレスになってしまうからだ。

とはいえ今日くらいはもう少しゆっくりさせて欲しいと思ってしまうのがクニコの本音だった。目敏《めざと》いマルッコは「ん？　お前なんか変な臭いするな。なんかいいモン食ってたんだろ俺にも寄越《よこ》せ」とでも言いたげにフラフラするクニコの肩に頭突きを見舞っている。

「おうマルッコ。ダービーおめでとさん」

「フッヒン」

すれ違う人に祝われ、心なしかマルッコも得意気だ。

それはクニコも同じだった。肩で風を切るとまでいかないが、中央競馬に対して抱いていた漠然とした劣等感のようなものが綺麗《きれい》さっぱり消え去っていた。

「よし、マルッコ今日もガシガシ歩こっか」

「ひん」

とはいえ、肩書きが変わり周囲の見る目が変わろうとも日常はやってくる。

次走の予定は未定なれど、日々のトレーニングを確かに過ごす。それこそが競走馬を強くする大切な日常なのだから。


Eコース一周の引き運動でいいと言付けられていた所を結局マルッコに引きずられ二周付き合わされたクニコは、体調不良も相まって息も絶え絶えに厩舎へ戻ってきた。

「ひんっ」

「ぶるる」

厩舎の中から、ちょうど入れ替わりで黒い馬体が現れた。鼻先から目元まで広がる流星を持つ、ダイスケこと須田《すだ》厩舎所属馬ダイランドウとその担当厩務員、大河原拓也《おおがわらたくや》だ。

「あ、大河原さんお疲れ様です」

「おーお疲れさん。マルッコ今戻り？」

「はい。今日は乗らないんで終わりです」

「そうか。調教師《センセイ》からダイスケの追い切りの話、聞いてるか？」

「安田の追い切りに併せ馬やる話でしたよね？」

安田とはＧⅠレース安田記念だ。

オーナーの二転三転する方針の所為《せい》で短距離路線に戻ったダイランドウは、春シーズンの最終戦として春のマイル王者決定戦、安田記念を選択したのだ。

ただこの安田記念は上の世代も参加可能な、いわゆる古馬ＧⅠ路線のレースで、三歳馬がこのレースに参戦することは珍しいと言える。

が、珍しくはあるが無くは無い。近年において三歳で同レースを制した馬も僅かながら存在するし、参加資格が三歳以上であるのだから、参加自体はおかしな事ではない。

問題はダイランドウが、１６００ｍ《マイル》をこなせるのかどうかなのだが、そこはダイランドウ自身の精神的成長を祈るより他なかった。大方の見方は１６００でも長いことは言うまでもない。

「そうそう。いやさ、あれだけ激しいレースした後だからマルッコも平気なのか心配で」

んー、とクニコはマルッコに目をやる。

マルッコは友好の証《あかし》なのかそれとも彼等《ら》だけに通じる儀式なのか、ダイランドウと額をグリグリ合わせて首相撲のような事をしていた。この二頭。何故《なぜ》だか理由は不明だが、須田厩舎所属馬の中でも妙に仲がいい。見慣れたものでクニコも大河原もさせるがままにしている。

「なんなら今日やってもいいくらい元気でしたよ。まぁそれでも二、三日は様子見ておこうってセンセイに言われてるくらいです。木曜追い切りには間違いなく参加できますよ」

「おぉ。そりゃ良かった。じゃあ俺はこれから乗りに行って来るよ」

「はい。いってらっしゃい」

遠ざかるダイランドウにマルッコが間延びした挨拶のような物をしたのを区切りに、クニコはマルッコを厩舎へ引き入れた。


そんなこんなで木曜日。一般的にレースに出場する馬に強めの調教を施される日だ。

本番へ疲労を残さず強めの追い切りをこなせる限界が移動などを含めるとこの木曜日（二、三日前）というのが定説で、競馬予想において土曜日《前日》追い切りが嫌われるのは調教の疲労が悪影響を及ぼすと考えられているからだ。実際の競走結果を見ると、そうであるとも言えるしそうでないとも言える。結局、馬は人間ではないので本当のところは分からない。

マルッコとクニコ、それからダイランドウと大河原はCWコースに居た。

スタンドでは須田が見守っており、無線で大河原に指示を出している。片耳のイアホンから指令を受ける大河原の姿は、妙にアナログなところがある羽賀での調教と比較して幾段か格好良く映った。

「それじゃあマルッコに1F《ハロン》先行してもらって、直線に向いたら1600まで追う感じで」

「了解です。合図とか必要ですか？」

「いんや、適当に始めてくれ。こっちはこっちで時計取れるから」

「はい。じゃあいきます！」

クニコの合図にマルッコはじわっと駆け出した。やがてクニコがそれなりに走らせる気である事を察すると「お？　今日はいいの？」と足の回転を速めていった。こういうやりとりすら取れなかった過去と比較する度、「トモさんありがとう……！」とクニコは見えない縦川《たてかわ》のシルエットを拝むのだった。

足取りは軽い。やはり思っていた通りレース後の疲労は少ないようだ。

ややあって後方でダイランドウがスタートした。離れていても響いてくる力強い足音だ。さすが世代を賑《にぎ》わせた一頭だと感じさせる。

すると。それを見たマルッコが何かを察した。

察したように、背中越しでクニコには感じられた。

（あれっ、あれっ、アレアレアレ……何か速い？　平気かなこれ）

何か速い。正確なカウンティング（２００ｍごとのラップを体感すること）が出来ないクニコには大まかに速いか遅いかぐらいしか分からないが、その感覚で行くと今のマルッコは明確に『速い』のほうだった。

マズイと思ったとき、既にマルッコは臨戦態勢だった。レースで見せるダイナミックな掻《か》き込みと力強い踏み込み。スピードがぐんぐん上がったままトラックのコーナーに飛び込んだ。

「ひっひーん！」

遅れて後ろの方から馬の嘶《いなな》き。恐らくダイランドウの物。

あ、こいつダイランドウと競走できてはしゃいでるな！

それが分かったところでクニコでは〝こうなった〟時のマルッコの宥《なだ》め方《かた》を知らない。というより基本的に〝こうなる〟と誰の制御も受け付けない。

試しに手綱を引いてみるが逆にハミを取られる始末。「どうしよう」と考えているうちに馬体が直線を向いていた。

背後から迫る力強い足音。ちらりと振り返ればダイランドウが物凄《ものすご》い勢いで迫っていた。

ぐいっと手綱が引かれる。もうどうにでもなれとクニコは手綱を緩めた。

二頭は馬体をぴっしり合わせてウッドチップの直線を駆け抜けていく。差されれば差し返し、仮にレースだとしたら実況が大興奮するような熱戦は、最後にダイランドウがもう一伸びしたところが1600m地点だった。

クニコは馬上で小さく息を吐く。想定と異なったがいい追い切りが出来たのではないだろうか。あとはペースを緩めてクールダウンさせれば。させれば……

「お、お、おーいマルッコ？　もう終わりだよ」

手綱から伝わる不穏な手応え。

制止を訴え手綱を引くと一気に耳が絞られた。荒げた鼻息が「邪魔すんな！」とでも言いたげに吐き出される。ここに来てクニコも察する。これはヤバイ。

隣を見る。大河原もなにやら馬上であたふたしている。

「こらこらこらダイスケもう終わりだ！　落ち着けって、おち……のわあああぁッ！」

「あぁぁ大河原さ、もぎゃああッ！」

制御不能に陥った二頭は馬体を併せたままコーナーに飛び込み、その際乗馬を御するため前方を確認していなかった大河原と、そんな大河原を見て前方を確認していなかったクニコは急なコーナーの揺れに耐えられず馬上から吹き飛ばされた。

伊達《だて》に羽賀でマルッコに振り落とされ慣れていないクニコはすぐさま受身を取って両馬に目を走らせた。

背中の重石《おもし》が無くなって清々したと言わんばかりに、二頭は馬体を併せたまま颯爽《さっそう》とコーナーを爆走して消えていった。

「……あっ！　大河原さん大丈夫ですか！ってそれどころじゃなかった、放馬ああああああああああぁぁぁぁぁ！」

落馬などで馬が人の手を離れた時は全力で放馬と叫ぶのがマナーだ。マナーというか人の乗っていない馬は大変危険なので報《しら》せないと事故が起きる。

うわ！　とか、おわ！　とか、驚きの声が走り去った方向から薄《う》っすら飛んでくる。

やべぇどうしよう。打ち身の痛みでジンジンしてきた肘を庇《かば》いつつ、クニコは天を仰いだ。


「本当にすみませんでした」

その後トラックを爆走した両馬が走り疲れた所を捕獲し、迷惑を掛けた各厩舎へ頭を下げ、ようやく帰って来た須田厩舎事務所。クニコはどこか面白がった表情の須田に改めて頭を下げていた。

「いや、まぁ関係各所に頭は下げたことだし、いいよ。というか併せようなんて言った俺が悪いわ。こっちこそ無理させちまって悪かった。まさかあんな事になるとは思わなかったわ」

「あたしのことなんかいいんです。それより馬が、ダイランドウが……」

「あー……そうだなぁ。レース前に放馬してトラック四周とか普通はかなりまずいんだが、ダイスケのやつ、戻ってきたらスッキリした顔しやがってねぇ。馬ってのは背中に人間を乗せないほうがいいのかもしれねぇなぁ」

「は、はぁ」

「とにかく、気にするなって。拓也も身体に異常なかったって話だし。案外これで良かったんじゃないか?」

須田の態度に拍子抜けするクニコだったが、事の顚末《てんまつ》を小箕灘《こみなだ》に伝えた際に、それはそれは怒鳴られたのであった。

尚《なお》、この調教の模様は競馬番組のテレビクルーにバッチリ撮影されており、あまりにも全力全開の二頭を見た解説員が『これはどっちがダイランドウですか?』等《など》と質問する珍事を巻き起こした。

日本ダービー反省会

1 名無しさん@競馬板 20NN/05/29 ID:xxxxxxxu0

サタンマルッコってなんやねん……

---

2 名無しさん@競馬板 20NN/05/29 ID:xxxxxxxl0

？？？「全然違うじゃん！」

P「……」

？？？「言ったよね!?『ダービーの８枠は二十年近くきていないから切っていい』って！ この結果は何？」

P（俺にもわかんねーよ）

？？？「もういいよ！　私競馬辞める！」

---

4 名無しさん@競馬板 20NN/05/29 ID:xxxxxxxu0

スレ立てから30秒でこのコピペもってきたお前の作文能力にびびるわ

---

7 名無しさん@競馬板 20NN/05/29 ID:xxxxxxxX0

おい縦川おまえほんまなにしてくれとんの

---

25 名無しさん@競馬板 20NN/05/29 ID:xxxxxxxj0

16を頭で買えた奴とかいるの？

---

40 名無しさん@競馬板 20NN/05/29 ID:xxxxxxxA0

単勝100円ならとったぞ

もちろん赤字だ

---

43 名無しさん@競馬板 20NN/05/29 ID:xxxxxxxy0

単勝……んっ、４７００円！ｗ

飯食って電車乗って帰れるな。明日から仕事頑張ろうな。お互い。

---

66 名無しさん@競馬板 20NN/05/29 ID:xxxxxxxX0
竹田もやほんま

103 名無しさん@競馬板 20NN/05/29 ID:xxxxxxx30
12 番人気か、そうかそうか……

110 名無しさん@競馬板 20NN/05/29 ID:xxxxxxxr0
16-3-6 だから 12-1-3 番人気か 700 倍は越えそう
大荒れとはいわんが波乱が起きたな

117 名無しさん@競馬板 20NN/05/29 ID:xxxxxxxN0
いやサタンマルッコて

139 名無しさん@競馬板 20NN/05/29 ID:xxxxxxxp0
まじで何が起きてんのかわからない
最後なんでライダー差し損ねたの

152 名無しさん@競馬板 20NN/05/29 ID:xxxxxxxL0
最後足あがってたよな
距離が長かったのか？

185 名無しさん@競馬板 20NN/05/29 ID:xxxxxxxv0
いうて後ろは 3 馬身だぞ
ついでにいえば着差からみてライダーもレコード走破だ
距離が長かったは言い訳にならん

204 名無しさん@競馬板 20NN/05/29 ID:xxxxxxxh0
ワイ、サタンマルッコノーマーク
ウェブ競馬で血統をみる
父ゴールドフリートで二度見

母父フウジンで三度見した模様

---

240 名無しさん@競馬板 20NN/05/29 ID:xxxxxxxe0
いつの時代からタイムスリップしてきたんだよ

---

256 名無しさん@競馬板 20NN/05/29 ID:xxxxxxx60
母母父帝王ｗｗｗｗｗｗｗｗｗｗｗｗｗｗｗ

---

279 名無しさん@競馬板 20NN/05/29 ID:xxxxxxx00
血統表みて吹いたわ
ダ○スタかよｗ

---

311 名無しさん@競馬板 20NN/05/29 ID:xxxxxxxi0
よくこんな血統の馬がダービー出れたな

---

313 名無しさん@競馬板 20NN/05/29 ID:xxxxxxxd0
いうてお前、皇帝入れたら血統表だけでダービー四勝やぞ
勝って当然やな（白目

---

333 名無しさん@競馬板 20NN/05/29 ID:xxxxxxx00
ゆ、ゆいしょただしきけっとうだな？

---

352 名無しさん@競馬板 20NN/05/29 ID:xxxxxxxo0
地方だと割とこんな感じの馬みかけるぞ（居るとは言っていない）

---

377 名無しさん@競馬板 20NN/05/29 ID:xxxxxxxu0
フウジンの代表産駒っていうとファスフレか？
父系はあまり残ってないんだったか……？
まさか今日日ダービーとるとはおもわんだろ

---

378 名無しさん@競馬板 20NN/05/29 ID:xxxxxxxQ0
全国の馬産関係者が父フウジンの牝馬を血眼になって探し始めたようです

395 名無しさん@競馬板 20NN/05/29 ID:xxxxxxxU0
フリートもステマ配合みたいな怪しいニックス持ってたりするのだろうか

400 名無しさん@競馬板 20NN/05/29 ID:xxxxxxxJ0
今世紀最大のフロック

404 名無しさん@競馬板 20NN/05/29 ID:xxxxxxxm0
超超高速馬場になってたとか？

412 名無しさん@競馬板 20NN/05/29 ID:xxxxxxxk0
それに関しちゃ数年前から竹一族が騒いだおかげで馬場の高速化は控えめになっているはず
実際皐月の時も皐月より前のレースは時計が出てなかった
今の府中も昨日から言うほど時計出てなかったしダービー後の目黒記念も例年並みの時計しかでてなかった

436 名無しさん@競馬板 20NN/05/29 ID:xxxxxxxD0
じゃあなにあの馬つえぇの？

437 名無しさん@競馬板 20NN/05/29 ID:xxxxxxxB0
よくわからん

441 名無しさん@競馬板 20NN/05/29 ID:xxxxxxxG0
なんだこの、なんだ……

448 名無しさん@競馬板 20NN/05/29 ID:xxxxxxxg0
俺はライダーに勝ってもらって、秋まで三冠の楽しみに胸膨らませたかったぞ……

452 名無しさん@競馬板 20NN/05/29 ID:xxxxxxxT0
ワイもや……

455 写真の人 20NN/05/29 ID:xxxxxxxw0
まあまあ君達。マルッコくんすこすこセットでも見て和みたまえ
在庫が増えたぞ

456 名無しさん@競馬板 20NN/05/29 ID:xxxxxxxC0
>>455
おまえー！！！！
ちゃっかり馬券とってんじゃねー！

羽賀競馬小箕灘厩舎事務所にて。厩舎管理場の調教指示のため羽賀に戻ってきていた小箕灘は、無意識に拳を握り締め、テレビにかじりついていた。

まだ使えるからという理由で置いてある古きよきブラウン管は小箕灘の興奮に感応するかのようにチラチラと画面にノイズを走らせる。

同刻、遥《はる》か東の地、東京競馬場ではGⅠ安田記念の戦いの火蓋が切られていた。

ヤニ汚れた画面に映し出される緑の芝生の上をやや長い隊列となって駆ける駿馬《しゅんめ》たちはまさに激闘の渦中にあった。

《……――800m通過が45秒0！　予想通り速い流れとなった先頭⑦番ダイランドウ！

さぁこのまま行けるのかどうか後続がぐいぐいと押し上げてくる、②番ホワイトナイト⑫番ゴウカケンラン⑪番ビーチドリームこのあたりが一団となってダイランドウに取り付いて直線を向く！

先頭⑦番ダイランドウは手応えがどうだ！　ホワイトナイト、ゴウカケンランがダイランドウを交わすか、交わした！　しかし内の方ダイランドウも食い下がる！

外の方では、ファンタスティールが猛烈な勢いで飛び込んできた！

馬群を割っては⑩番アレクサンド、ピンクの帽子は⑱番ヒエラルキーもスルスルと上がってきている！

残り200！

先頭はホワイトナイトとゴウカケンランが競り合っている！

大外ファンタスティールの脚色がいい！　前の二頭に並ぶか、これは大混戦！

内でもう一度、ダイランドウがもう一度伸びてくる！

ダイランドウ！　ホワイトナイト！　ゴウカケンラン！　ファンタスティール！

並んでゴールへ雪崩れ込んだぁぁーッ！

………

これは、わからなぁーいッ！》

妙な間を置いて放たれた実況のあんまりな言葉にずっこけながら、小箕灘は肩の力を抜いた。

「テレビの映像だとファンタスティールが優勢に見えたな……いやしかし、ダイランドウもすげぇな。息の入れ方を覚えたのか」

息を入れる、とは力を溜《た》める、呼吸を整えるというような意味だ。全力のラストスパートをかける前に少し力を抜かせる期間の事を指す。日本で見られるオーバルトラックの場合、逃げ先行馬は大体の場合3、4コーナーで息を入れる。マルッコもそのように走っている。

ダイランドウはそれが出来ない馬だった。一度力むと力尽きるまで走らずには居られない困った性質。一生懸命と言えば聞こえはいいが、競馬はただ力走すれば勝てるという物でもない。

それがどうしたことか。なんとあのダイランドウが。マルッコとの併走調教ですら本気駆けしてしまったというあのダイランドウが、レースの途中で息を入れていたではないか。

８００ｍ通過の４コーナーから一度ペースを緩め、直線半ばから再加速。一度は差された馬達《たち》に迫り、あわや差し返した所がゴール板だった。中々どうして見事なレースっぷりだと賞賛したい。

鞍上《あんじょう》の国分寺《こくぶんじ》騎手が上手《うま》く乗ったのだろうか、いや、そうだとしても馬変わりを感じさせる成長っぷりだ。須田さんはどんな魔法をかけたのだろうか、小箕灘の中で須田の評価が更に高まる。

とレースの余韻に浸っていると、入り口のサッシが開かれた。

「小箕灘センセ！　大変だ、大変なんだよ！」

大慌てで飛び込んできたのは中川《なかがわ》牧場長、中川貞晴《さだはる》だった。突然の来訪に面喰《めんく》らいつつ応対する。

レースの結果は気になるがテレビの電源は切った。

「どうしたんですか中川さん」

「宝塚記念！　宝塚記念のファン投票！」

「あの、少し落ち着いてください。何を言ってるのかさっぱりですわ」

「だから、ファン投票で三位だったんですよ！」

「はあ。クエスフォールヴとかがですか？　でもあの馬今は海外ですよね」

「ちーがーうーよぉ！　マルッコ！　ウチのマルッコが三位なんだよ！」

「はあ？」

宝塚記念は六月の最終週に行われる夢のドリームレースとして創設された春のＧⅠシリーズ最終戦だ。

ファンによる人気投票で上位に選ばれた馬に優先出走権が与えられるのが他のGⅠには無い特色だ。とはいえこの投票は出場賞金に満たない馬を助けるという目的からは外れ、ファンが走って欲しい馬を指名するところに重点がずれているように思われる。

人気上位になった馬に参戦の義務はない。ないが、ファンによる期待をどう受け取るかは陣営次第である。小箕灘はダービーを勝った余韻でマルッコの今後に関しては頭が空白だった。そこへ宝塚だといわれても寝耳に水、まるで頭が追いつかない。

「もちろんマルッコは宝塚記念に出走させますよ！　なんと言ってもダービー馬！　いやー楽しみだ！　俺は宝塚とか有馬みたいな世代の入り乱れるレースが大好きでねぇ！　まさかウチの牧場から、よりにもよってマルッコが出られるだなんてなぁ！　ワッハッハ！」

「あ、あー……はい。お話は分かりました。中川さんのご意向は取り入れるとして、マルッコの体調次第で参戦したいと思います」

「ん？　マルッコはどこか悪いんですかい」

「いえ、ダービーの後も元気いっぱいでしたよ。ただ、あれだけ激しいレースをした後なもんで、今は少し様子を見ているところですわ。丁度いい、ちょっと電話で確認しましょうか」

レトロな黒電話を回し、クニコの携帯電話を呼び出す。呼び出し音は3回で途切れた。

『はい、お疲れ様ですクニコです』

「おおクニコ。俺だ。今平気か」

『ええ。馬房の掃除が終わったところなんで一息ついてます。どうかしましたか？』

「ああ。今、中川オーナーから宝塚出走の打診があってな、それでマルッコの調子次第で参戦するか決めようと思ってるんだが、どんな様子だ？」

『あ、あの……調教師《センセイ》』

「ん？　どうした」

『それが………』

「ガ、ガリッガリじゃねぇか……」

翌日栗東へ飛んだ小箕灘が見たものは、肋骨《ろっこつ》が浮き出るほどゲッソリやつれたマルッコの姿だった。ダービーを一番で駆け抜け、ゴール板前で勝ち誇った輝きは見る影も無い。枯れっ枯れである。額の白丸も心なしかひしゃげて見える。

側《そば》のクニコが済まなそうに付け加える。

「ダイランドウと走った辺りからさっぱり飼葉に口付けなくなっちゃって……いつもならすぐに食欲も戻るから平気だろうと思って……」

「そんで僅か数日でこの有様か。いや、細かく様子を聞かなかった俺が悪い。第一様子を聞いたところでマルッコの調子が良くなるもんでもないからな」

「ぶるるる……」

「獣医に診てもらわないとなんとも言えんが、オーバーワークで飯が食えなくなったんだろう。マルッコも普段通りの心算で走って、ダービーの疲れが重なってこうなった……ってとこか？」

だりー、とでも口にだしそうな様子でマルッコはぐったりと横たわった。

「とりあえず今週は休養だな。運動も乗りは止《や》めて引き運動にまで戻すぞ」

「宝塚は、どうなるんです？」

「とりあえず出走保留でいいだろ。出走表明が多ければそれと体調不良を理由にオーナーは説得する。よしんば出れたとして、回ってくるくらいの気持ちでいれば気が楽なんじゃないか」

頭の空白を埋めた小箕灘は宝塚記念出走に対して、馬の事を考えるならば否定的だった。

かつてダービー馬達が三歳夏で宝塚記念へ出走したが、その年の秋の成績は振るわずに終わった。春までの活躍を考慮すれば不自然とまで言われ、その原因が宝塚記念への出走だったのではないかと論じられたことを小箕灘は強く記憶していた。

また、否定的な最大の理由は、秋の三歳ＧⅠ路線は三歳でしか出場できないが、宝塚記念は来年以降いつでも出場できる古馬ＧⅠだからだ。ここで無理せずとも良いのだ。

しかし。

「……まぁでも、見てぇよな。宝塚を走るとこ」

「えっ？」

しゃがみ込んで寝そべるマルッコの口べらを引っ張りながら呟《つぶや》く。

「出るか。宝塚。なあマルッコ？」

「うぃーん」

返事をした訳ではないだろうが、その声は「まかせとけ」とでも言っているように小箕灘には聞こえた。


三週間後6月26日。阪神競馬場パドックは春シーズンのGⅠ戦線最後のお祭りで華やいでいた。観衆の注目は空前のハイペースでダービーを逃げ切りレコードタイムを叩《たた》き出したサタンマルッコに集まっていた。それはマルッコにしては初めての一桁オッズ、単勝8・3倍の四番人気に推されている事にも現れている。もしかしたらあの馬なら一発があるんじゃなかろうか。いやいや三歳の馬が勝つわけないよ。そんな静かなざわめきと期待感がファンの間に広がっていた。

誘導馬に連れられて、出場各馬がパドックに姿を現し始めた。

毛艶のいい馬、イレ込んでいる馬、静かな闘志を感じる馬、そんな馬列の10番目にサタンマルッコは現れた。

栗毛、のようなしわがれた黄土色の馬体。ほんのり肋骨の浮き出た痩せた肉付き。その姿は幼駒《ようく》の頃、貧乏くさいと言われていた風体にそっくりだった。

（ガレてる……）

（消そう）

（ガレてるな……）

（あ、これはない）

（記念参加乙）

この瞬間、衆目の意見は一致した。

パドック後サタンマルッコの単勝オッズは急速に落ち、最終的なオッズは11倍の六番人気にまで後退した。


「今日は回ってくるだけでいい」

騎乗した縦川に小箕灘がそう告げた。

言われずとも、追い切りの時点でまともに動きそうにないことはわかっていた縦川は苦笑いを浮かべ、

「まあ、見せ場は作ってきますよ」

と言い残して本馬場へ向かう馬列に加わった。

結局マルッコの身体は元に戻らなかった。いくらマルッコとは言え、生物の基本原則を超越するほどサラブレッドを辞めている訳ではない。疲労を抜くにも相応の時間がかかるのだろう。


馬場に出て、出場各馬が声援に送られながら返し馬をしている最中、マルッコと縦川は馬場の真ん中を発走地点へ向かって悠々と歩いていた。

開催最終週の馬場はところどころ荒れており、とても走りやすい状態であるとは言えない。刻み込まれた蹄鉄《ていてつ》の跡や剝げた芝を見て、これまでの激闘の感傷に浸るのは夢舞台に選ばれたジョッ

キーの特権なのかもしれない。

事も無げに、前を向いたまま口だけを動かして縦川が呟いた。

「と、いう訳なんだがね、ダービー馬のマルッコ君。みんな今日はお前が走らない日だと思っているらしいぞ」

みしり。たてがみの毛穴が引き絞られたように感じた。

ふふふ。と口元に笑みが浮かぶ。

「一発ぶち当ててやろうじゃない」

「ヒンッ」

当たり前だ。枯れた馬体に湯気が立ち上る。

◆

《初夏の陽気に当てられて、今年もやって参りましたドリームレースGⅠ宝塚記念。

今年は17頭の選ばれた競走馬たちが、皆さんの夢を背負って走ります。

出走ゲートの前では各馬がゲート入りを始めています。

奇数番号の馬はスムーズに収まり、偶数番号も収まり――

ドリームレース、スタートです！

おおっと一頭落馬！　外の方サタンマルッコはスタート絶好！

抜群の出足で内へ切れ込んでいくサタンマルッコ。ぐんぐん加速して単独先頭のまま1コーナーへ向かっていきます。

落馬したのは③番のオードリー後藤《ごとう》騎手！　空馬は馬群後ろを追走しています。

おっと場内どよめきと歓声。サタンマルッコぐんぐん離す。15馬身、16馬身、これは大逃げ、間違いなく大逃げに打って出ました縦川騎手。

この馬はスタミナがある！　単騎で逃がしてしまって良いのかどうか――……》

◆

打ち付ける風と流れる柵《ラチ》。手綱を伝って熱い鼓動が感じられる。

やはり三歳馬だから甘く見られている。縦川は内心しめたものだとほくそ笑みながら後続との間合いを計った。

阪神内回りの急カーブ、4コーナーに入っても15馬身以上開いている差は、後続馬を柵越しに見せる。このような大差で直線を迎えた記憶は縦川には無かった。

（あれ、これもしかしていけちゃう？）

マルッコだけが直線を向く。阪神競馬場内回りの直線は356mと少し。後続との差は3秒弱。

この馬の実力をもってすれば余裕を持って余りある。

この坂さえ越えれば――！

「ぶひー」

「げっ」

坂の上りに差し掛かった瞬間、背中の感触が変わった。

足の動きが鈍り、呼吸も荒い。限界がきたのだと縦川は察した。

背後に足音も迫ってきている。後ろを見ることは出来ないが、もう3、4馬身も無いだろう。

「ふひっ！」

マルッコがハミを取った。まだ行く気だ。勝つ気でいる、勝負を捨てていない。

「マルッコ」

しかし縦川は手綱を引いた。ちょうど坂を上りきった所だった。

「今日はここまでだ。秋。秋にまた走ろう」

「ぶふぉ……ぐう」

外の比較的馬場状態のいい所を走った馬の集団がマルッコを交わした。そこがゴールだった。

「また走ろう。マルッコ」

本番は秋だ。敗戦の怒りに震える僚馬を宥めながら、そう言い聞かせた。

数分後、阪神競馬場電光掲示板の三番目には⑩の文字が表示された。

「三着だったな。お疲れ様。羽賀に帰ってゆっくり休めよ」

酔っ払ったサラリーマンのような足取りのマルッコを計量室へ導きながら、次にこの舞台へ立つ時は、と誓いを新たにするのだった。

宝塚記念 part4

1 名無しさん@競馬板 20NN/06/26 ID:xxxxxxxu0
みとけよ

---

225 名無しさん@競馬板 20NN/06/26 ID:xxxxxxxE0
さすがにダービーから宝塚は無理あるだろ
陣営も散々体調が上向かないって言ってるし

---

227 名無しさん@競馬板 20NN/06/26 ID:xxxxxxxu0
泣きの縦川は買えって格言がございましてね

---

238 名無しさん@競馬板 20NN/06/26 ID:xxxxxxxX0
サタンの調教とかの様子みたら今回はさすがに切りだわ
調教云々ってか馬体がもう無い。ガレてんじゃん

---

241 名無しさん@競馬板 20NN/06/26 ID:xxxxxxxj0
そりゃあんだけ激走すりゃガレるわな
てかなんで出てきたんだか

---

242 名無しさん@競馬板 20NN/06/26 ID:xxxxxxxA0
オーナーの意向じゃね
あと栗東所属だし阪神近いから

---

243 名無しさん@競馬板 20NN/06/26 ID:xxxxxxxy0
何にせよパドックで分かることだ罠

---

455 名無しさん@競馬板 20NN/06/26 ID:xxxxxxxX0
はい、サタンマルッコ消しで

---

456 名無しさん@競馬板 20NN/06/26 ID:xxxxxxx30

おっ、消しだな

457 名無しさん@競馬板 20NN/06/26 ID:xxxxxxxr0
よしガレてる消しで

460 名無しさん@競馬板 20NN/06/26 ID:xxxxxxxN0
予想以上のガレっぷりに草

461 名無しさん@競馬板 20NN/06/26 ID:xxxxxxxp0
マイティウォーム頭でいいな

462 名無しさん@競馬板 20NN/06/26 ID:xxxxxxxL0
クソワロ

465 名無しさん@競馬板 20NN/06/26 ID:xxxxxxxv0
ガレガレのガレｗｗｗｗｗこりゃないわｗｗｗｗｗ

466 名無しさん@競馬板 20NN/06/26 ID:xxxxxxxi0
トモさんも騎乗で苦笑い

666 名無しさん@競馬板 20NN/06/26 ID:xxxxxxxh0
ファンファーレ上手い
阪神はオイオイ民いないから好き

670 名無しさん@競馬板 20NN/06/26 ID:xxxxxxxe0
オイオイ厨名誉顧問サタンマルッコ

675 名無しさん@競馬板 20NN/06/26 ID:xxxxxxx60
現地にいたけどコールアンドレスポンスは意外と楽しかった
たぶん二度とあんなことないんだろうけど

681 名無しさん@競馬板 20NN/06/26 ID:xxxxxxx00
おおおおおおおおおおおおおおおおおおおおおおおおいいいい

682 名無しさん@競馬板 20NN/06/26 ID:xxxxxxxi0
なんかおちたぞｗｗｗｗｗｗｗｗｗｗｗｗｗｗ

683 名無しさん@競馬板 20NN/06/26 ID:xxxxxxx50
ああああああああああああああああああああああああ

684 名無しさん@競馬板 20NN/06/26 ID:xxxxxxxp0
後藤ｗｗｗｗｗｗｗｗｗｗｗｗｗｗｗｗ

685 名無しさん@競馬板 20NN/06/26 ID:xxxxxxx60
マルッコ絶好いつもの

686 名無しさん@競馬板 20NN/06/26 ID:xxxxxxxv0
コイツ本当にスタートはええな

687 名無しさん@競馬板 20NN/06/26 ID:xxxxxxxS0
よしよしミューズは内入った

688 名無しさん@競馬板 20NN/06/26 ID:xxxxxxxr0
げサタン離してる

689 名無しさん@競馬板 20NN/06/26 ID:xxxxxxxp0
後ろおせーよ逃げてんのダービー馬だぞ

690 名無しさん@競馬板 20NN/06/26 ID:xxxxxxx60
おいおいおい大丈夫かたのむぞまじで

691 名無しさん@競馬板 20NN/06/26 ID:xxxxxxxi0
実況メートルじゃねえ馬身でいえ

692 名無しさん@競馬板 20NN/06/26 ID:xxxxxxxk0
カメラひきすぎわろす

693 名無しさん@競馬板 20NN/06/26 ID:xxxxxxxr0
やばいこれ逃げ切られる

694 名無しさん@競馬板 20NN/06/26 ID:xxxxxxxv0
おいおえｈあやｋ

695 名無しさん@競馬板 20NN/06/26 ID:xxxxxxxC0
ここ阪神だぞ捕まえられんのか

696 名無しさん@競馬板 20NN/06/26 ID:xxxxxxxT0
やべ

697 名無しさん@競馬板 20NN/06/26 ID:xxxxxxx/0
やばい

698 名無しさん@競馬板 20NN/06/26 ID:xxxxxxxR0
ほわああああああたすかったあああああああああ

699 名無しさん@競馬板 20NN/06/26 ID:xxxxxxxv0
ああああああああああああびびらせやがってええええええええええええ
え

700 名無しさん@競馬板 20NN/06/26 ID:xxxxxxxx0

ばかやろう差すならもっと速く動けかすぼけ！！！！！！！！

701 名無しさん@競馬板 20NN/06/26 ID:xxxxxxxl0
直線入ったサタンマルッコの手応えでびびった奴の数ってスレたてよう

797 名無しさん@競馬板 20NN/06/26 ID:xxxxxxxa0
外の三頭で決まりか？

802 名無しさん@競馬板 20NN/06/26 ID:xxxxxxxg0
いやわからんワンチャン残してるかも

804 名無しさん@競馬板 20NN/06/26 ID:xxxxxxxy0
いらんいらんいらんから

810 名無しさん@競馬板 20NN/06/26 ID:xxxxxxxy0
あ

深緑の牧草地とすぐ隣の柵に囲まれた農地。アンバランスというか不自然なその場所こそマルッコの故郷、中川牧場だ。

ダービー、宝塚記念と春の激戦を終えたマルッコは故郷中川牧場で秋競馬への英気を養っていた。

とはいえその生活は賑やかなもので、

「あ！　こっち向いた……写真撮って写真！」

「マ、マルッコくんかわいいなぁ」

新聞や雑誌、ニュースでマルッコを知ったミーハーなファン、競馬好きな熱心なファン、テレビや雑誌の取材員、時期的に夏休みなのも相まってそうした見学者達が後を絶たない。

一般的にサラブレッドは臆病な生き物だ。大きな音、見慣れない物、嗅ぎなれない匂い、それらに敏感に反応してしまう。ともあれそれは一般的なサラブレッドの話で、マルッコのような図太く人懐っこい馬にはあまり関係が無い。せいぜいが気疲れするくらいだろう。

今もカメラを向けたファンに対し、「プー○か？　プー○のポーズ決めていいんか？」とでも言いたげに、後肢立ちで探り探りポーズを決めようとしている。

牧場事務所では地元の商工会と協力して作った『マルッコ饅頭《まんじゆう》』や『マルッコ煎餅』が売りに出されている。どちらも元から丸く、マルッコの額の星にあやかって丸いマークを押しただけの代物だが、そんな物でも飛ぶように売れ、中川牧場の財政を、延《ひ》いては羽賀競馬周辺を潤した。

世はまさに、マルッコフィーバーだった。

▼▼▼

「はい皆さんどうもこんにちはこんばんは。タケダダケTV春シーズン終了版でございます。この番組では中央競馬栗東所属騎手、竹田豊《たけだゆたか》と司会の私、宮前譲一《みやまえじょういち》がゲストの皆様をお迎えして春競馬を回想する、という番組となっております。お相手はお馴染《なじ》みこの方！」

「どうも。竹田豊です」

「はい。ということでねタケ君。今年の春競馬も終わった事でね。ああ今年もタケダダケTVの時期がやってきたなって感じがしていた訳ですけれども。どうでした今年前半戦を終えてみて」

「うーん。毎年色々あるけど、今年も色々あったなって感じです」

「そらそーだ。じゃあその色々あった春競馬。振り返ってまいりましょう。まずはこのコーナー。ジーワン、メモリィバァック！――……」

「……――てことがありましてね、この時は思われてた以上に必死でしたよ」

「タケ君っていつものほほんとした顔してるから、必死って言われてもちょっと想像つかないよ。じゃあ次へ行って……はい。いよいよお待ちかね、日本ダービーです！」

「きちゃったかぁー」

――竹田騎手は苦い表情。

「今年の日本ダービーはそれはそれは大事件が起きましたね。皆さんご存じの通り、羽賀競馬出身のサタンマルッコ号が日本ダービーを制覇。地方出身馬として偉業を成し遂げました。

そして！　今日はなんと！　そのサタンマルッコ号主戦騎手である縦川友則《とものり》さんをお招きしております。どうぞ縦川騎手！」

――スタジオ脇から現れる縦川騎手。和やかな笑顔だ。

「どーも縦川友則です」

「いやぁーダービー初制覇、おめでとうございます！」

「あざっす！」

「この人はぁ！」

――満面の笑みを浮かべる縦川騎手。一方竹田騎手は渋い笑い。

「縦川騎手は長年ダービーを勝てなかったですが、念願叶《かな》ってついに初制覇。しかもその様々な記録やジンクスを破っての劇的大勝利。連日報道されご存じの方も多いでしょうが、今一度申し上げますと。

まず地方出身の競走馬による日本ダービー制覇。

次に青葉賞トライアル組からの日本ダービー初制覇。

ほぼ同意義ですが２４００ｍ以上経験馬による日本ダービー初制覇。

18頭立てになってから８枠16番での出走で日本ダービー初制覇。

さらにレコードタイムを更新し、何より鞍上縦川でダービー制覇。これでしょう」

「ちょっとちょっとやめてくださいよ、もう勝ったんだから許して！」

「うふふ。それでどうですか縦川さん。ダービージョッキーになって」

「最高ですね。やーこれで縦川ダービー友則ジョッキーを名乗れますよ。ねぇ竹田ダービー豊ジョッキー」

「この人、最近酒の席とかずっとこんな調子なんですよ？　だから宝塚じゃ絶対この人に負けないって決意してましたもん」

「それだけ喜びも大きかったということでしょう。そして縦川ジョッキーは日本ダービー制覇をもちまして、中央全GⅠ競走完全制覇という偉業を達成いたしました！　クス玉もどーん！」

——宮前がヒモを引くと、クス玉が割れて中から【縦川騎手おめでとう！】の文字。

「スタジオに入ったときからこのクス玉なんだろうってずっと思ってたんだけど、トモさんのための仕込みだったんですか」

「いやぁ、祝っていただけて嬉《うれ》しいです」

「尚、タケ君も同実績を達成しているので、この場には二人のグランドスラムジョッキーとでもいうんですかね、そんなお二人が揃《そろ》っている訳ですよ。まさに大正義タケダダケTVといった具合で、日本ダービーのレースを振り返って行こうと思います！」

——日本ダービー発走直前のゲートの様子が映し出されている。スタートし各馬一斉に走り出す。

「⑯番のサタンマルッコが絶好のスタートを決めて、そのまま先頭に立ったと。

内のほうではタケ君のストームライダーやラストラプソディーも好スタート。このお馬さんたちもスタート上手よね。タケ君はこのときどうだったの？」

「スタートは良かったので行く馬いなかったら行っちゃおうかなとは思ってましたよ。外からサタン（マルッコ）が行くの見えたし、スティールソードも二番手を取りにいったから、じゃあその後ろでいいかなって感じで収まりましたね」

「1コーナーから2コーナーに差し掛かる頃には隊列が出来上がってたと。そしてここで場内からざわめき。サタンマルッコが後続を引き離して大逃げになっていたと。この辺はプランどおりだったんですか？　縦川さん」

「ええ。ストームライダーに勝とうと思ったら前の競馬になると思ってたんで、その中で今回はこういったレース運びにしよう、というのは戦前からありましたね。

　それと大逃げを打っているように見えるんですが、実はちょっと違うんですよ」

「と、いうと？」

「レースのラップ見てもらうと分かると思うんですが、この1コーナーでのリードはスタートでの差そのままなんです」

　――サタンマルッコは（1F計測タイムそれぞれ秒）11・0－10・9－12・0－12・1－12・1で1000mを通過している。

「スタートだけで平均的な馬より1秒近く速い。後は出たままのスピードを維持すれば、だいたいこのくらいのタイムになりますね」

「1000m通過が58・1秒と。実況の馬場園《ばばその》アナも言っていましたが、ダービーとしては明らかに速かったですよね」

「タイムとしてはそうですね。けど本当に無理に力を入れた逃げでもないんでね。楽に行かせて貰《もら》ってますよ。これがダービーじゃなければ、僕は1コーナーで勝ちを確信していた位です」

——どこか納得した表情の竹田騎手。

「向こう正面に入っても先頭は変わらず。後ろも殆《ほとん》ど変わらなかったのかな？　ここから12・1秒のラップタイムが続くと」

「実を言うとこの辺覚えてないんですよね。時計刻むのに集中してて、マルッコが息を入れる音で直線向いたって気付いたくらいで」

——4コーナーを曲がり直線を向くサタンマルッコと、それを猛追するスティールソードとラストラプソディー。

「ここでラストラプソディーとスティールソードが傍目《はため》には足が上がったように見えたサタンマルッコを追い抜こうとペースを上げました。このときタケ君のストームライダーはまだ馬群の先頭で後方集団と一緒にペースを上げてましたね。これは？」

「前の二頭がサタンを抜きに行ったのはすぐ分かったんで、包まれないように後ろとペースを合わせながら足を温存していました。仕掛けのタイミングとしてはちょっと早かったと思ったんでね」

「実際にそうなりました。仕掛けた二頭はサタンマルッコを交わせず坂の終わりで足を鈍らせます。この辺りでタケ君も仕掛けてますね。一瞬で二頭を抜き去って、さあ後はサタンマルッコだけとなったのですが」

——距離が詰まらないままゴールへ進む二頭。

「この時現地は凄い声援でしたね。声援っていうか、悲鳴と絶叫？　馬場園アナが最後に『どういうことだ!?』って実況するんですけど、私も何が起きてるのか分からなかったですねぇ。縦川さんはサタンマルッコにどんな魔法をかけていたんですか？」

「物凄く端的に言うなら、足が残ってたってだけですね」

——椅子からずり落ちる真似《まね》をする宮前。

「あそこで足を残せるっていうのがサタンマルッコの才能ですね。抜群のスタート、強い心臓、僕が乗りたい理想の逃げ馬そのものですからね、マルッコは」

「ははぁ。最後なんか伸びてましたもんね。あの時僕、内が伸びる馬場なのかなって思ってましたよ」

——得心が行ったと竹田騎手は何度も頷《うなず》く。

「そういえば縦川さんはサタンマルッコとどこで接点を持ったんですか？」

「マルッコが阪神の条件戦に出てきた時ですね。その時僕も騎乗していたんですが、ずっと折り合わないまま圧勝して、ゴールした後も息が乱れて無くってね。こりゃすげぇ馬だって思って、マナー違反は承知の上ですぐ営業かけましたね。

けどすぐに声がかからなかったからダメかーって半ば諦めてたんですけど、青葉賞から乗ってくれって言うじゃないですか。そりゃもう飛び上がって喜びましたよ」

「それじゃあ縦川さんの慧眼《けいがん》は正しかったわけですね」

「そういう結果に結びついて、本当に良かったです」

――ゴール板を先頭で駆け抜けるサタンマルッコ。

「そして戴冠。終わってみれば府中12Fをレースレコードで逃げ切り勝ちと非常に強い内容。いやぁなんかこうやって振り返るとね、勝って然《しか》るべきであるように思えるんですがね。サタンマルッコの普段の様子を見ていると、どうにもちょっと、そうは見えないというかなんと申しますか」

「あはは。マルッコは変な馬ですからね。けど実力は本物ですよ。それに本当に可愛《かわい》い奴なんで、皆さん引き続き応援よろしくお願いします」

「ここでちょっとCMです。ウェブ番組だからってCMを飛ばしちゃいけませんよ！」

Q．サタンマルッコの名前の由来は？
元々は違う名前だったんです。私の字が汚すぎてサタンに読み間違えられてしまって。

本当はうちの冠の『サダノ』マルッコだったんですよ。

なんか、ダの濁点が離れすぎて『タ』と『〝』に認識されて、しかもその次の文字が『ノ』だったので『ソ』か『ン』なんじゃないかと思われたらしくて。サタの次に『ソ』はおかしいから『ン』だなってサタンマルッコになったんだそうです。

マルッコのデビュー戦の時は驚きましたよ。何か似てる名前の馬がいる。こんな事もあるんだなーと思って出走表探すじゃないですか。サダノマルッコの名前が無いもんですから、当然小箕灘センセイにきいたんですよ。そしたら名前の事がわかったんです。

勝っちゃったからもうそのままでいいかなって思って今日に至っています。


「え、こんな理由だったの」

「トモさんも知らなかったんだ」

「ということで引き続きお話を伺って参りたいと思います。では春シーズンの締めくくり、宝塚記念です」

——阪神競馬場の馬場を悠然と歩くサタンマルッコの姿。

「縦川さんにお聞きしたかったんですが、やっぱり宝塚記念、サタンマルッコは調子を崩していたんですか？」

「ええ。身体つきを見てもらう通り、はっきりと悪かったですね」

「それはダービーの激走が原因で？」

「んー根元の部分はそうだと思います。だけど、ダービー終わった後も元気ではあったんですよ。そのあとの中間でちょっと暴れちゃって。そこから疲れが噴出しちゃった感じだと伺ってます」

「あーダイランドウ全力暴走事件ですね」

「あの時僕栗東にいましたね。スタンドにいたんで、なんか騒がしいなって思った記憶があります」

——ダイランドウ全力暴走事件。須田厩舎所属馬ダイランドウが同厩舎滞在中のサタンマルッコと安田記念への併せ馬追い切りを行った際、制止する騎手らを振り落として空馬のまま僚馬サタンマルッコとＣＷコースを四周した。あまりに激しい走りっぷりから目撃した新聞記者が面白がって記事にした。

「だから本番も、勝ち負けまでは無理かなと思ってたんですよ」

「と、言っておきながら勝負を仕掛けた縦川さん。映像を進めていきましょう」

――一頭落馬を横に見ながら、相変わらずの絶好のスタートから早々先頭に立ち、ぐんぐんリードを広げていくサタンマルッコ。

「このレースは力を使って逃げましたね。もう間違いなく切れる足は使えないと思ってたんで」

「大きくリードを取りました。最大25馬身ほど差が開いていたようですね」

「あ、そんなあったんですね。４コーナー回った時、あまりに後ろが来ないから一瞬いけるかもって思ったりはしましたけどね。タケ君なんかも一瞬まずいかも、とか思わなかった？」

「いや、僕はトモさんの馬差す気マンマンでしたから」

「またまたそんな事言ってぇ。で、どうなの？」

「…………ちょっとは」

――縦川騎手、大喜びで手を叩く。

「実際レースを見ている立場でも逃げ切っちゃうかも、って思わされましたね」

「普段のマルッコなら残せたとは思います。馬もあの時行こうとしていたんですけど、ただやっぱり秋のことを考えたらアレ以上はね」

「懸命な判断だと思いますよ。三歳のこの時期にきついレース連続して走らせるのは後を引きますもん」

「そしてレースの方はタケ君のモデラートが差しきって勝利を収めたと」

「ダービーでの借りは返しましたね」

「いやいや、それは秋でやろうよ」

「ああそう縦川さん。サタンマルッコは秋の初戦とかどうなんですか？」

「特に聞いてないですね。放牧から戻ってきたら調子を見てって感じだと思います。賢い馬なんで、レース間隔が空いても問題ないから、トライアル使わず菊花賞直行もあるんじゃないかな」

「まさに王者のローテーションって感じですね。タケ君はストームライダーのローテ何か聞いてる？　というかそもそも菊花賞は行くの？」

「勿論《もちろん》菊花賞には出場しますよ。今度はこっちが挑戦者です。どこかのトライアルを使う、とは聞きましたが詳細はまだまだ先のことなので」

「ということは両馬の激突がまた見られるということですね。秋の楽しみが増えたなぁ！　と、いったところで次のコーナーへ！――――……」

▲▲▲

キーホルダーの無い無機質なシリンダー錠。それが彼の家の鍵だった。

勝手知ったる他人の家。男は友人宅の鍵を開け、無造作に廊下を進んだ。

鼻腔《びこう》をくすぐる酒の臭い。リビングの扉を開けば、それはより濃度を増して纏《まと》わりついた。

乱雑に転がされた酒瓶は一応生活への配慮からかテーブルを中心に散乱しており、整頓された家具に反してそこだけが荒《すさ》んでいた。側にはソファーで体を丸めている家主。三日前、部屋の掃除をしたのは男だ。記憶の画像を重ねてスライドさせれば、酒瓶以外がぴたりと符合する事だろう。

「また、飲んでいたのか」

声をかければ男の友人はもぞもぞと顔を向けた。

「………………ん。誰だ？　ケルニーか？」

「そうだ。お前のママ役に遣わされているケルニー様だ」

「もう三日経《た》ったのか」

ケルニーが友人のマネージャーから世話役を仰せ付かったのは、もう二年も前の話になる。友人は心を悪くしていた。

「ユリス。そんなに酒ばかり飲んでいては身体を壊すぞ。お前の復帰を待っている人達が沢山いることを忘れるな」

「俺はもう乗らない。放って置いてくれ」

「こっちも金貰ってメードみたいな真似してる以上は義務があんだよ。本気で言ってねぇよ。だがなユリス、お前の健康を心配する俺の気持ちは本当だ。飲むな、とは言わないが、もう少しだけ俺を安心させるような生活をしてくれ」

「……悪かった」

ユリスと呼ばれた男は酒焼けした顔でぶっきらぼうに言い、テーブルの酒瓶に手を伸ばす。しかし目的の物まで手は届かない。ケルニーの手が遮っていた。

「ミネラルウォーターを飲むだけだ」

「ここに水があるってことは、一応割って飲むっていう理性が残っていたんだな」

「ストレートでなんてキツすぎて飲めたモンじゃないさ。俺は酒の味を楽しむ派なんだよ」

少しもそうとは思わせない口ぶりでペットボトルの水を呷《あお》った。

それを見届けて、ケルニーは転がされた酒瓶たちの片付けを始めた。

「シャワーでも浴びてきたらどうだ」

「汗はかいていない」

「そうか。あぁ、鞄《かばん》の中に雑誌がある。適当に読んでいてくれ」

聞いているのかいないのか。ユリスはソファーに背を預け天井を仰いでいた。


裏庭の集積場所に瓶を片付けリビングに戻ってみると、ユリスは雑誌をぱらぱらと興味なさそうな目でめくっていた。一応、彼が能動的に興味を示したバイクの雑誌を持ってきてみたのだが、この様子ではさしたる暇つぶしにはならなそうであった。

「…………最近じゃバイクの雑誌にも競馬の記事が載るのか」

ああチクショウめ。その話題を避けて雑誌を選んだというのに、よりにもよってそんな特集組みやがって。脳内で数十通りの呪詛《じゅそ》を編集者へ吐きながらケルニーは取り繕った。

「へえ。まあバイクの雑誌だって少しはニュースを取り扱ったりするモノだろ？」

「それもそうだな」

手の進みを見るに、どうやらユリスはその記事を読むことに決めたらしい。青い瞳が静かに文字を追っている。

平気そうか。そう肩の力を抜いた時だった。

「ケ、ケルニー……」

友人の声は震えていた。

「どうした？」

「この記事に書いてあることは本当か？」

「はぁ？　まだ読んでないから知らないよ」

「見てくれ」

促されるまま側へ寄り雑誌に目を通す。

記事には『日本ダービーの勝ち馬、サタンマルッコ。圧巻のレコードタイム』とあった。

「競馬のことはさっぱりだ。だが、ダービーの勝ち馬を間違えるなんてことは無いんじゃないか」

「違うんだ。違う……これは……これはセルクルだ。いや違う。いやでも……」

何事か、ケルニーには分からない言葉で呟いたユリスは、やがて決然と顔を上げた。

「少し出かけてくる」

「は？」

言うが早いか、ジャケットを羽織り身の回りの物をポケットへ詰め込んで玄関へ向かって行く。

ケルニーは慌てて追いかけた。

「お、おい。家はどうすりゃいいんだよ」

「いいようにしておいてくれ」

「待て待て待て！　行き先くらい教えていけ！」

玄関口の扉に手をかけたところだった。

「ニホンに行ってくる」

振り向いたユリスの瞳は、かつての理知的な光を湛《たた》えていた。


医者には趣味を持つことを勧められた。

趣味。なるほどな。あの日以来色を失っていた心がさざめいた。

幸いにして金は余るほど持っていた。これまで趣味と仕事は同一だった。物欲とも縁が遠かった。

女を抱くのは嫌いじゃない、だけど女に手間をかけるのは嫌いだった。過ぎれば仕事の邪魔になると気付いてからは特定の女と関係を持つことを止めた。

それでよかった。だって一番楽しい遊びが、騎手《しごと》だったのだから。

手近なところから、勧められた内の一つ、自転車を始めた。

最初は運動がてら、徐々に走ることを目的としてコースを選別するようになった。

だが、自転車では遅いと感じた。

己の足でペダル越しに大地と繋《つな》がる感触が不快だった。

それならば、と次はバイクを始めた。

やはり最初はそれほど複雑な事はせず、排気量や運動性を調べ、乗りやすい物を選んで乗った。

やがて速度に不満を覚えフリーウェイに乗り出すようになり、チューンで限界速度を高めるようになる。最早《もはや》何のために速度を出すのか分からないような乗り物が出来上がった。砂漠の国道を走った時、向かい風がただ虚《むな》しかった。

分かっていた。自分がそれらに何を求めていたのかは。

度し難い事に、私は私が壊してしまった相棒の代用品を求めて彷徨《さまよ》っていたのだ。

自転車もバイクも、それぞれに魅力があるのだろう。自動で、自力で、自在で速くて。

だが、それは一人だ。独りでしかないのだ。

私は知っている。言葉を交わせずとも意思を疎通し、同じ目標へ向かって共に駆ける存在を。

競馬だけなんだ。二つの生命が一つとなって戦う競技は。

私を殺してしまった私はどうすればいい。どこへ行けばいい。何をすればいい。

どうして運命は私をあのロンシャンで殺さなかった。どうして私は庇われてしまったんだ。君に救われたこの命で、私は何をすればいいんだ。教えてくれセルクル。助けてくれセルクル。君がいないと、寒いんだ。

「お客様、お客様」

「……ぅ、うあ……?」

「大丈夫ですか?　うなされていたようですが」

混濁した意識が人面相を捉える。酷《ひど》く歪《ゆが》んだ映像が女性のものらしき顔と認識した。

キャビンアテンダントだ。飛行機。機内。行き先、ニホン。脳が覚醒し単語と目的が連鎖して蘇《よみがえ》った。

「夢見が悪かっただけだ。問題ない」

「さようで御座いますか。もし、お手伝いできる事が御座いましたら、お申し付けください」

「ああ……あ、君。到着まであとどれくらいか分かるかい」

「もう間もなく着陸の態勢に入ります」

「そうか。ありがとう」

チップを渡し、ペットボトルの水を口に含む。水は予想以上に身体に沁《し》みた。

旅客機が着陸の軌道に乗せるため機体を傾かせた。翼の向こう側に大地が遠望できた。東京は夜だ。街の明かりが消え掛けた焚《た》き火《び》のように広がっている。

フランスからここまで十二時間。目的地にはもう少しだけかかる。

羽賀という地名には聞き覚えが無かった。騎手として来日していた頃も、そのような地方で騎乗を請け負ってはいなかったはずだ。

とはいえサタンマルッコという馬はその羽賀という土地に居る。知っていても知らなくてもなんとかしてたどりつかなくてはならない。

もう一度飛行機に乗り込み、九州へ飛ぶ。九州は訪れた事がある。確かコクラという競馬場でレースをしたはずだ。

空港でアテンダントに場所と道を尋ね、翻訳サイトと地図を頼りに目的地を目指す。

情報サイトによれば、サタンマルッコなる競走馬は現在休養で生産地に戻っているのだそうだ。日本語を強引に翻訳して表示しただけなので、微妙な意味合いに不安が残るが、他にアテがない以上当たってみるしかなかった。

羽賀に到着した時は既に日も沈み夜だった。翌朝改めて訪問する事とした。

明けて翌日。中川牧場を訪れた。なんというか、みすぼらしい場所だった。ニホンにもこんな場所があったのかと新鮮な驚きを覚えた。

牧場の主《あるじ》に話を聞くと、今日は競馬場のイベントに出演しているらしい。入れ違いだったようだ。とはいえ時間的にはもう終わっているはずで、戻ってこないところを見ると今頃は競馬場と牧場の近所である（そう、この牧場と競馬場は歩いて行けなくも無い程度に近いのだ）砂浜で遊んでいるのだそうだ。フランスの馬産地は海沿いにないので珍しい風習だと感じた。

そして私は一つ愚かな間違いを悟った。早い時間にきたつもりだったが、時計の針がフランスのままで随分と遅い時間に牧場を訪れてしまっていたらしい。

場所を教えてもらい、海岸へ向かって歩く。

海の音が耳に届くようになって、すぐに砂浜が現れた。

牧場の主は海岸にいると言っていたが、遠目にはそれらしき馬も人も見当たらない。とにかく降りてみる事にした。

しかし。

私はここまでやってきて、何がしたいんだろうか。

あのセルクルと同じ星を持つサタンマルッコという馬に会ってどうなるんだろうか。

面相のよく似た別の馬に対面して、私の罪の意識が薄れるとでも言うのだろうか。それこそ笑い話だ。今更贖《しょくざい》罪を求めるなど己が恥ずかしくなる。

いつしか私は地面を向いていた。砂を踏む薄汚れたスニーカーで背中を丸めた自分の影を追っているかのようだ。

急速に頭が冷えてきた。やはり私は冷静ではなかったのだ。こんなことをして何の意味がある。

歩みは止まっていた。

帰ろう。そう思った時だった。私の影を、より大きな影が覆い隠した。

顔を上げる。

栗毛の馬だ。どういう訳だか頭絡だけで鞍《くら》も乗せていない。くりくりした可愛らしい目をしている。どうした？　とでも言いたげな表情で首を傾《かし》げこちらを見つめていた。

ああ。

覚えがある。額の白丸の星にも。その表情にも。

ああ。ああ。ああ！

「ひん」

ようジョッケくん。久しぶりだな。元気かい。

聞こえるはずの無い、そんな声が聞こえた気がした。

私の喉から、したくも無い懺悔《ざんげ》が次々と飛び出した。女々しい感情が吐露された。

凪《な》いだ表情でそれを見つめていたその馬は、やがて私の前で膝を突いた。

「ひーん」

背中を差し出しているのだと直感した。

馬具も無く、どころか手綱すらないその馬に、私は跨《また》がった。馬が立ち上がる。

ああそうか。

空と大地。高くなった視点。

そうだった。

私はこの日、悪夢より目覚めた。

第五章 彼の迷い

サタンマルッコ号展示会イベントのお知らせ！
あの！　日本中を驚愕《きようがく》させた日本ダービー馬サタンマルッコ号を間近で見よう！
抽選で10名様には口取りでの写真撮影体験も！
羽賀競馬場では七月、八月中は毎週土曜日に競走開催中！
サタンマルッコを愛《め》でて、皆で楽しんじゃおう！
夏休みのレジャーは羽賀競馬で決まり！

◆

九月下旬。セミの鳴き声が遠くなって久しく、夏の深緑に彩りが加わろうとする季節。
僅かに和らいだ日差しの中、一台の馬運車が栗東《りつとう》トレーニングセンターに現れた。
報道陣が取り囲む中停車し、中から一頭の競走馬が顔を出す。
ダービー馬サタンマルッコ、栗東に帰厩《ききゆう》！
三歳クラシック最後の一冠菊花賞へ向け、ダービー馬が始動した。

「分かっちゃいましたけど、やっぱり何かにつけて扱いが違いますねぇ」

羽賀よりはいくらか過ごしやすい気温の中、マルッコの馬房の準備をするクニコ。当のマルッコは廊下に首を出してひーんひーんと鳴いている。同じように首を出している須田《すだ》厩《きゆう》舎《しや》の馬たちが言葉を交わすかのように嘶《いなな》き返す。特にダイランドウのすっ惚《とぼ》けた調子の嘶きは耳に残った。

「そりゃあダービー馬だからな。ダービー馬は一年に一頭しかでない」

とりあえず掃除、と小箕灘《こみなだ》はちりとりを使いながら答えた。

「他のGIだって同じですよ？」

「重みがちげぇの。ついでに稼いだ賞金もな」

「ああそりゃ分かりやすい。あ、ユリス。もうちょっとチップ持ってきて」

「はい、わかりましタ」

マルッコは寝藁《ねわら》やウッドチップの厚みが薄いと文句を言う。脛《すね》が埋まるくらいの厚みに寝転ぶのがいいらしい。すっかりセレブ気分の馬である。しかも間違いなく成金の類の趣味の悪さだ。

ユリスと呼ばれた帽子を被《かぶ》った男はクニコの指示に従い倉庫からウッドチップの袋を運んだ。彼はオーナーからのツテで最近雇用された栗東での調教助手だ。

「ありがと。ほらマルッコ、そこ邪魔だからどいて」

「ぶひ」

「しゃーねーなー」と馬房の隅に避けるマルッコ。空いたスペースに山積みのチップを均《なら》してやる。

「それにしてもユリス。手馴《てな》れてるね」

「エエ。故郷でやっていまシたから」

「なんにしても助かるよ。これからよろしくね」

「ハイ」

一通り作業を済ませて馬房を出る。餌箱に飼葉を詰め込んだユリスもそれに続いた。

「センセイにも言われてると思うけど、厩舎に居る間はあたしと一緒に須田センセイのとこの手伝い。んでマルッコの乗りの時は任せるから」

「ハイ。まかせてくださイ」

「後で向こうの人にも挨拶しにいこう」

「はい。おねがいしまス」

こちらも一通り片付いたのか、小箕灘がパイプ椅子にドカっと座り、新聞を広げた。

「しかし、セントライト記念はスティールソードで、KB新聞杯はストームライダーか。正直逆だと思ってたから意外だな」

秋の三冠レース菊花賞。そのトライアルは既に動き出していた。

菊花賞。十月の下旬に行われる秋のGⅠシリーズの一つで、三歳限定戦の最終戦を飾る3000mのレースだ。トライアルレースは中山2200mのセントライト記念、阪神2400mのKB新聞杯の二つがあり、これらのレースの三着までに優先出走権が与えられる。

菊花賞戦線は夏の間休んだ優駿《ゆうしゅん》たちがこれらのレースに出場する事で始まるといっても過言ではない。夏競馬で名を挙げた馬たちが一旗揚げるのか、それとも春に強かった馬たちがここでも実力を発揮するのか。勢力の入り乱れる初秋は独特の高揚感がある。

そんな情勢の中執り行われたセントライト記念はスティールソードの圧勝。皐月《さつき》賞馬ストームライダーは今週末に開催されるＫＢ新聞杯へ出走予定。事前の評価では抜けた一番人気と目されている。

さてサタンマルッコはというと、こちらはトライアルのレースを使わずぶっつけ本番、菊花賞へ直行する予定になっていた。夏を休養に当てたとは言え、宝塚記念での疲労を考慮した小箕灘の采配だった。

とはいえ、厩舎の仲間達にぷるぷる嘶くマルッコの姿は、疲労とは無縁であるように映るのだが。


明けて翌日。サタンマルッコの姿はＥダートコースにあった。鞍上《あんじょう》には新人厩務員《きゅうむいん》ユリス。堂に入った騎乗スタイルでマルッコをキャンターさせていた。

ばらばらっとした足並みで走るマルッコの背後からすーっと寄せてくる馬の姿。須田厩舎所属馬ダイランドウと調教助手の大河原《おおがわら》だ。

「ひん」

よーダイスケ、とでも言うように口を割ったマルッコとダイランドウは栗毛《くりげ》の馬体と黒鹿毛の馬体を並べて仲良く併走を始めた。いつかのようにムキになって暴走する兆候は、今のところない。

というより基本的にこの二頭はとっても仲良しだ。

「オツカレサマです。大河原サン」

なんで挨拶が疲れを労《ねぎら》う言葉なんだろうと文化の違いに困惑するユリスだが、慣用句と思えば使えないことは無かった。騎上の大河原も答える。

「ああお疲れ。やっぱブランクがあっても上手《うま》いな、ユリス」

「そうでしょうカ」

「ああ。見てりゃ分かる」

「ありがとうございまス。その馬……ダイランドウはレースに勝ったと聞きましタ」

「おお。キーンランドカップだな。先週札幌《さっぽろ》から帰って来たばっかりだから、今日もキャンターだ」

キーンランドカップはGⅢ競走で、秋のGⅠシリーズ初戦、スプリンターズステークスのトライアルレースだ。前走の安田記念は二着惜敗だったため、今後の本賞金不安を解消するためにトライアルからの始動が選ばれたのだ。

「そうだったんですネ。ツヨソウです」

「ハハハそうか。お前にそう言ってもらえると箔《はく》がつくな」

「キョウシュク？　です」

どこか得意気に駆けるダイランドウをマルッコは「ま、俺はダービー馬なんだけどねー」と生暖かい目で見ているようだった。

菊花賞 part2

1 名無しさん@競馬板 20NN/10/NN ID:xxxxxleu0

混沌としてまいりました

---

2 名無しさん@競馬板 20NN/10/NN ID:xxxxxjfl0

S 氏は距離問題ないだろ
あれだけ心肺機能高い馬が 3000m だけ走れないなんて考えられない

---

4 名無しさん@競馬板 20NN/10/NN ID:xxxxxaau0

陣営も距離延長に関しちゃ問題ないって言ってるな
だいたい母系がスタミナ血統だしな

---

7 名無しさん@競馬板 20NN/10/NN ID:xxxxxxKwX0

皇帝、帝王、風神、まあスタミナ血統といえばスタミナ血統か
近親が内国産馬だとこういうとき困る

---

25 名無しさん@競馬板 20NN/10/NN ID:xxxxxzoj0

親父のフリートは言わずもがなだしな

---

40 名無しさん@競馬板 20NN/10/NN ID:xxxxx5/A0

ライダーは距離どうなんかな
トライアルは楽勝だったが相手が雑魚だし

---

43 名無しさん@競馬板 20NN/10/NN ID:xxxxxLGy0

2400 いけて 3000 いけないってこたねぇだろうけど
距離が伸びれば伸びるほどよさそうな S 氏と比較するとどうだって感じはある

---

66 名無しさん@競馬板 20NN/10/NN ID:xxxxxwns0

S 氏ってなに？

103 名無しさん@競馬板 20NN/10/NN ID:xxxxx3330
サダノマルッコことサタンマルッコ

110 名無しさん@競馬板 20NN/10/NN ID:xxxxxtdr0
ここは鉄剣なんじゃねえの
父ブルースフォーはどう考えても買い要素だろ

117 名無しさん@競馬板 20NN/10/NN ID:xxxxxhbN0
この距離だとライダーが負かしてきた馬との逆転ありうるな
今でもあの馬が弱いとは微塵も思わんしなんならサタンより強いと思ってるが
ここはちょっときついかもな

139 名無しさん@競馬板 20NN/10/NN ID:xxxxxqyp0
トライアルを圧勝しているのになぜ弱気なやつがおおいのか
楽勝だろ
サタンマルッコとかいう雑魚も化けの皮はがれるよ
ダービーはフロック
強い馬は皐月と菊をかつんだよ

152 名無しさん@競馬板 20NN/10/NN ID:xxxxxanL0
まあ確かに近年ダービーを勝った馬のその後はふるわないな

185 名無しさん@競馬板 20NN/10/NN ID:xxxxxssv0
実際種牡馬としては皐月賞勝った馬のほうが価値あるな
そもそも時代が 2000m なのにいつまで菊花賞 3000m でやるんだよ

204 名無しさん@競馬板 20NN/10/NN ID:xxxxxzeh0
しるか

240 名無しさん@競馬板 20NN/10/NN ID:xxxxxO4e0
馬券買う人間には関係ないわ

256 名無しさん@競馬板 20NN/10/NN ID:xxxxxf760
>>1
セントライト記念
一着スティールソード
二着ラストラプソディー
三着カタルシス
KB 新聞杯
一着ストームライダー
二着ホウユウアオゾラ
三着マイザーアカウント
いうほど混沌としてないな春から名前きいてた馬ばっかだし

279 名無しさん@競馬板 20NN/10/NN ID:xxxxxkh00
>>139
あの、三着の宝塚は（小声）

311 名無しさん@競馬板 20NN/10/NN ID:xxxxxvti0
スティールソードといいサタンマルッコといい、不遇血統の見本市だな
ラストラプソディーとか父系こいつしかいないだろ

313 名無しさん@競馬板 20NN/10/NN ID:xxxxxTud0
大正義深海軍団はどこへいったんですかねぇ（呆れ

333 名無しさん@競馬板 20NN/10/NN ID:xxxxx37i0
おるやろライダー

352 名無しさん@競馬板 20NN/10/NN ID:xxxxxfeo0
一時期の深海一色がおかしかっただけで
本来種牡馬ってこのくらいばらつきがあったような気がする

377 名無しさん@競馬板 20NN/10/NN ID:xxxxxl6u0
あとは条件が変わった時か
重馬場とか雨とか
雪でもいいぞ

378 名無しさん@競馬板 20NN/10/NN ID:xxxxxkQQ0
？？？「今年は異常気象！」

395 名無しさん@競馬板 20NN/10/NN ID:xxxxx/4U0
いくらなんでも淀で十月に雪はふらんやろ

400 名無しさん@競馬板 20NN/10/NN ID:xxxxx0bJ0
>>377
枠とか？

404 名無しさん@競馬板 20NN/10/NN ID:xxxxxn1m0
菊はあんま枠とか関係ねぇな
どうせ一周目ゆっくり下るし
スタンドでも向こう正面でも位置変えられるし

412 名無しさん@競馬板 20NN/10/NN ID:xxxxxMgk0
意外とＳ氏雨がだめとかないのかな

436 名無しさん@競馬板 20NN/10/NN ID:xxxxxxsD0
ダート走ってた馬だから平気だろ

437 名無しさん@競馬板 20NN/10/NN ID:xxxxxYEB0
ダート馬だからといって雨の不良馬場が得意ってもんでもないぞ

441 名無しさん@競馬板 20NN/10/NN ID:xxxxxzmG0
ゆうて京都であのスタートから先頭逃げられたら誰もかてんやろ
サタン二冠できまりや

「では夕方からの天気予報です。みのりちゃ～ん！」

「はぁ～い！　ＷＮＫ気象予報士の兵藤《ひょうどう》みのりで～す。

ここ、京都駅前ではなんと！　現在小雪がちらついております！

小粒で雨と見紛《みまが》うほどなんですが、10月での降雪はなんと観測史上初！

厳しい冷え込みに注意が必要です。

ではこの後のお天気です。

今降っている雪は夜には雨となり、朝方には止《や》んでいるでしょう。

気温が低くなっていますので、寝具にはいつもよりもう一枚、多くした方がいいかもしれません。

明日の天気です。

明日は一日曇り空。週末にかけては雨が続く見込みとなっています――……」


競馬において大穴とは、逃げ先行、落馬によって引き起こされる事が多い。それらの要素を副次的に有利にする物、それは悪天候だ。

京都競馬場のパドックは午後から降り出した雨の中、傘を差す観客が醸し出す静かな熱気に包まれていた。週末からぐずついた天気が続いた影響で馬場状態はすでに不良の発表。何かが起きるならこんな日だ。それらの兆候を逃すまいと馬券師たちは間もなく現れる優駿達を待ち構えている。

メインレースまではまだ時間がある。それまでのレースで軍資金を増やしておこうという魂胆なのだろうが、得てしてそういう時は上手く行かないのが世の常だ。

そんなパドックの様子を、一段低い位置――内側からユリスは見ていた。

そういえば、日本の競馬はこんな感じだったな、とかつて騎手として来日していた時分を懐かしんでいた。

日本の競馬は世界的に見ても平場（メインレース＝オープン特別ではないレース、もしくは重賞開催が無い日の開催日。要するに特別ではない日）の熱気が非常に高いといえる。未勝利や条件戦のレースに数万人の観衆がつくことはかなり異質だ。ドイツから短期免許で騎乗に来ていた騎手が、未勝利戦で大きな声援を受けた事に対して多大な衝撃を覚えたと述懐しているなど逸話が多い。

懐かしい空気を堪能しマルッコの馬房へ戻ろうかと足を踏み出した時、横合いから声がかかった。

「ユリス！」

見覚えのある顔。数瞬の後、それと名詞が結びついた。

「トモ、さん」

勝負服姿の縦川《たてかわ》は朗らかな笑みを浮かべながら、ユリスの肩を叩《たた》いた。

「久しぶり。元気だった？」

「アマリ元気じゃなかったです」

縦川は正直な言葉に苦笑いし、探るように「もう、その……いいのか？」と続けた。彼は知人とその相棒の身に起こった出来事について知っていたのだ。

「ハイ。彼に励まされましタ」

「マルッコか？」

「ハイ。マルッコはいい仔《こ》でス」

「ああ。よく知ってる」

「今は、スダサン厩舎のお手伝いしています。体を治したら、騎手、またやりたいでス」

「そうか。そうか……！」

縦川は知己であったユリスが厩舎の手伝いをしている事を小箕灘経由で聞いていた。騎手の道を諦めたのかと考えていたが、どうやら彼は辛《つら》い経験を乗り越え、ブランクを埋めた後にかつての道へ戻ろうとしているらしい。それは、似た経験を持つ縦川にとって我が事の様に嬉《うれ》しい出来事だった。

「それじゃあ、また後でな。俺、これからレースだから」

「ハイ。がんばってくださイ」

目に薄《う》っすらと涙を浮かべていた縦川は、照れ隠しのようにそう言って騎乗へ向かった。


最近はそうでもなかったんだけどなぁ。クニコは引きつった口元を意志の力で平静に保ちながら、雨中の京都競馬場パドックを周回していた。

いや、それは正確ではない。ほとんど止まるような速度のマルッコの手綱を引いていた。

夏休みの羽賀で、すっかりアイドル扱いに慣れてしまったこの栗毛の癖馬は、カメラのレンズやスマートフォンを構える観客一人ひとりに視線を送るかのように、殊更ゆっくりと歩いていた。恐らくファンサービスのつもりなのだろう。

「なんだカ、あまり集中していませんネ」

二人引きで口を取っているユリスも、そんな様子に苦いものを滲《にじ》ませていた。

「まあこれはこれで集中していると言えなくもないけど」

「ふぁんの皆さんは、大切ですガ……」

「うーん、いつもだったら騎乗でピリっとしてくるんだけど、今日は縦川さんがパドックから乗れないからなぁ」

ユリスのマルッコを見る目は心配そうだ。母親が帰りの遅い子供を待つ顔にも似ていた。


「……――パドックの解説は引き続きラジオウェスト織田雅也《おだまさや》さんです。よろしくお願いします」

「よろしくお願いします」

「それでは各馬一周見て参りましたが、ここからは織田さんが気になった馬をピックアップしていきましょう」

「はい。まずは大外⑱番、ダービー馬サタンマルッコですね」

「⑱番サタンマルッコは現在単勝1・7倍の一番人気です」

「ダービーや宝塚記念で見せた走りから実力は本物。逃げ馬不利と言われる菊花賞ですが、あれだけのスタミナを見せ付けられては逆らえません。この、今降っている雨も逃げ先行にプラスであると思います。

気になるところとしてはまずやはり前走からトライアルを踏まず直行である点でしょう。

中間の調教や追い切りは訳の分からない部分が多いですが、もともとそういう馬ですし、今日こうして馬体を見てみても身体《からだ》つきは緩いところもありません。

周回中は、なんというか、あまり集中しているようには見えませんでしたが、この馬の過去のレースを見ても大体そんな感じなので実力を発揮できる状態にはあるんじゃないでしょうか。

外枠発走である点については、スタートが抜群に上手な馬ですし、仮に出負けしても長距離のレースですから、余程の出遅れ等で無い限り特に問題なく先頭に立てるのではないかと思います。

次に⑧番のスティールソードを挙げたいと思います」

「⑧番のスティールソード。現在単勝3・2倍の二番人気です」

「今日は絶好と言われた青葉賞に匹敵する仕上がりなんじゃないでしょうか。歩いているだけで一回り大きく見えるほどです。

この馬も逃げ先行馬なんですが、展開としてどうしても他の馬がサタンマルッコを意識する動きとなるので、その中でどう動くかがポイントとなりそうです。直線よりも道中での動きに注目したいですね。

それから、人気上位馬ばかりで穴党の方には申し訳ないんですが、①番ストームライダー、⑩番ラストラプソディーにも注目したいです」

「①番ストームライダーは現在単勝3・8倍の三番人気。⑩番ラストラプソディーが5・2倍の四番人気となっています」

「ストームライダーはトライアルから変わらず好調を維持しているようです。見栄えのする凄《すご》い身体付きをしていますね。距離適性が不安視されていますが、絶対能力の高さでこの中でも上位であると考えました。

ラストラプソディーは血統背景はバッチリ。追い切りでの動きも抜群と、十分勝ち負けに届く実力、調子であるように思います」

「それではもう一頭、お願いします」

「②番のヤッティヤルーデスがすごく気になりますね。この馬はパドックだと静かな、というか元気が無い感じで歩く馬なんですが、今日はなんでしょうね。雨の中元気いっぱいといった感じで、何かやってくれそうな気がします」

「ありがとうございました。菊花賞発走まで、今しばらくお待ちください」

◆

《手拍子に送られて、伸びやかな最終音をトランペットが鳴らしきり、万雷の拍手が起こります京都競馬場。今年は雨の中6万8千人のお客さんが三歳牡馬《ぼば》最終戦を観戦に訪れています。

皐月賞馬ストームライダーはダービーの雪辱を果たすのか。

競馬史に新たな蹄跡《ていせき》を刻んだダービー馬サタンマルッコがその実力を示すのか。

それともスティールソード、ラストラプソディー、カタルシスといった馬達の逆襲が成るのか。

その身に刻む血の証明。クラシック最終戦菊花賞間もなくスタートです。


奇数番号の馬が、おっと①番のストームライダーが珍しく、珍しくといって良いでしょう。珍しくゲート入りを嫌っている。先に後ろの番号の出走馬が収まっていきます。
⑰番まで収まりましたが、さて……今、ストームライダーが勢いをつけて係員に引かれながら……収まりました。続いて偶数番号の馬が枠入りを始めます。②番ヤッティヤルーデスが収まり、順調に進んでいきます。最後に⑱番、サタンマルッコが収まりました！

さあ……今、菊花賞、スタートしました！

あ。

ああッ!?　サタンマルッコ出遅れたッ！

躓《つまず》いたか足を滑らせたか、縦川騎手があわや落馬かと思う程大きく体勢を崩す間に出走各馬は一周目の3コーナーへ飛び込んでいきます。

その後ろ大きく遅れてサタンマルッコ。どうやら競走は続行出来るようでありますが、前とは10馬身程差が開いてしまいましたッ！

京都競馬場観客席からは悲鳴の嵐！　一番人気サタンマルッコの大きく出遅れ、波乱の立ち上がりの菊花賞となりました！

先頭はスティールソード、内へ寄せてゆっくりと坂を下ります——……

◆

スタートの一完歩《かんぽ》目でマルッコが窪《くぼ》みに足を取られた。表面上平坦《へいたん》に見えた芝だったが水を吸って膨らみ、地下が空洞だったのだ。

更に間の悪いことに降りしきる雨が鐙《あぶみ》を湿らせ、片足が鐙から外れてしまった。一時は首に摑《つか》まらなくては落馬しかねない体勢だったが、背中の異常を素早く察知したマルッコがスピードを落とし、その間に縦川は騎乗姿勢を修正することが出来た。

この間約1秒。しかし加速に乗った競走馬とこれから加速する競走馬との間で1秒の差は果てしなく大きい。それは常のマルッコが絶好のスタートを決め、スタートから400mで他馬と開く差に等しい。

遠ざかる馬影に、慌てたマルッコがハミを取って行く気を見せた。

「マルッコ！」

縦川は強い意志で手綱を引いた。背中から困惑が伝わる。

「任せろ！」

この位のロス、なんでもない。俺が勝たせてやる。

水しぶきの上がる淀《よど》の坂を下りながら、人馬は遠くの馬影を見やる。

「あいつら全員、ぶち抜くぞッ！」

嚙《か》み合ったハミが緩む。身を委ねたマルッコの身体から力みが抜けていく。

理性ある怒りに身を包んだ栗毛の怪馬に闘志が宿った。

◆

……――一周目のスタンド前を通過していきます。雨粒を吹き飛ばすような大きな声援が送られます。馬群は徐々に縦長の隊列となっています。

先頭は⑧番のスティールソード。切れて2馬身④番アレンティ。その後ろに①番ストームライダー今日も先行策、そこから馬群が固まってラストラプソディー、ナイトアデイ、ガイデスブルグ、ホウユウアオゾラ、ゴーゴーオルソスらが内、外にヤッティヤルーデス、ケルヴィンハット、マイザーアカウント等《ら》、この辺り横に広がって進んでいます。

そして馬群の最後方フォールオブファースから離れて10馬身。ここにサタンマルッコがぽつんと追走しています。

先頭通過が63秒。雨を勘定するなら平均ペースと言って良いペースでコーナーへ向かいます。この辺り、隊列は固まったように思います。

一隊となって2コーナー、向こう正面へ進んでいきます。

さあ淀の上り坂。この辺りペースが緩んで一息といったところですが、

『おおおおおぉぉぉぉぉ――……!』

おっと凄い歓声、いやどよめき!

向こう正面の坂に入ったところで出遅れて最後方のサタンマルッコが位置を上げ始めている!

坂の真ん中辺りで大外をぐんぐん進み、今馬群の中団あたりに付けましたが、まだまだ位置を上げている!

前の方も一気にペースが上がってきた! この辺り一気にレースが動いて参りました!

二周目の3コーナーに差し掛かります坂の頂上。ここから先は下り坂。

しかしサタンマルッコの仕掛けに反応した各馬は全体的にペースが速いか、果たしてこのまま行くのかどうか。

そして現在四、五番手のサタンマルッコはここからどうする!

この動きに各馬はどうなる!

縦川騎手の手は変わらず動き通しだ! これを見てラストラプソディー川澄《かわすみ》騎手も追い始めた!

4コーナーの下りに差し掛かりますが、これは正直、意外な展開！

なんとあの出遅れからサタンマルッコが間もなく先頭に取り付こうとしています！　それで持つのか縦川友則《とものり》！

並ばれたスティールソードに、ああなんと鞭《むち》が入った！　細原《さいはら》騎手勝負に出た！

細原騎手、坂の下りでゴーサインッ！

困惑と悲鳴の大合唱が迎える京都競馬場の最後直線！

外へ大きく膨らみながらスティールソードとサタンマルッコが馬体を並べる！　後方集団とは差を開いた！

内の方では⑦番ホウユウアオゾラ、②番ヤッティヤルーデスが突っ込んで来るが、前の二頭までは3馬身はある！

ストームライダーはどうだ！　脚が鈍い！　馬群の中から割って来れない！

先頭はスティールソード半馬身！　身体を併せて外サタンマルッコ！　どうやらこの二頭の争いになったようだ！

内スティールソード！　外サタンマルッコ！　残り100m！

もう差が無い！　大接戦！　サタンマルッコ前に出たか！　いやスティールソードが差し返す！

内スティールソード外サタンマルッコ！

どっちだ！

どっちだ！

どっちだあああぁぁぁぁッ！

まっっったく並んでゴールイン！

これはきわどい勝負になりました！

……三位入線は②番ヤッティヤルーデス、⑩番ラストラプソディー、この辺りの争いとなったようです。

しかし一着争いは微妙！　直線１００ｍを切ってから一度サタンマルッコが頭一つ抜けましたが、最後にはまたスティールソードが差し返したようにも見えました。

電光掲示板には写真判定の表示。さらにこのレースは審議のランプが灯《とも》っています。

今、この件につきましてアナウンスがなされます。

『京都11Ｒはサタンマルッコ号が発走機を出た後、躓いた事に関して審議いたします』

審議はサタンマルッコのスタートについてのようです。不利を受けて、もしくは不利を与えたとも思えませんので、着順に影響のある審議ではないように思われます。

それにしてもあの位置からのスタート。さらには向こう正面からのロングスパートと激しいレースを繰り広げましたサタンマルッコ。

さらにそれを受けて立ったスティールソード細原文昭《ふみあき》騎手。最後、直線まで両者の激しい追い比べとなりました。レースの余韻に浸るかのように、場内はまだ大きなざわめきに包まれております。

あっ、今ゴールの瞬間の映像が映し出されます。

これは、これは……どうでしょう。両者ともに首を伸ばしきっておりますが、僅かに、僅かに外サタンマルッコが優勢であるようにも見えます。確定まで今しばらく……あっ！

着順が表示されました！


一着、⑱番、サタンマルッコッ！——……》

◆

電光掲示板の一番上に表示された⑱の数字。

観衆の悲喜《ひき》交々《こもごも》を聴きながら、縦川は胸をなでおろした。

最後の瞬間、残した感触はあったのだが、何分雨であるしゴール板を抜けた次の瞬間にはスティールソードに交わされていた事もあって、自信が無かったのだ。

「おめでとうございます。悔しいですけど、次は負けませんよ」

激闘を繰り広げたスティールソードの鞍上、細原が言葉通りの悔しさを滲ませて言った。

かつてマルッコに突っかかられた事のあるスティールソードは鼻息も荒くマルッコを睨《にら》みつけていたが、マルッコはつーんと顔を逸《そ》らしていた。

その態度におや？　と思いつつも、

「ありがとう。今日はめちゃくちゃきつかったよ」

「まぁ、あれだけの出遅れですからね……じゃあ先に行きます」

細原はスティールソードを促して、計量室へ向かって行った。

「どうしたマルッコ。元気が無いな」

「ぷる」

ああもしかして。

「スタートのことでも気にしているのか？　いいんだよ。ああいう事だって、偶《たま》にはある。そういう時のために、俺達《ジョッキー》がいるんだから。さあそれよりも帰ろう。ほら、行くぞ」

マルッコはしぶしぶ～といった感じで足を進めた。

スタンドからは割れんばかりの声援。やや野次も含まれていたがそれはご愛嬌《あいきょう》。

何故《なぜ》ならサタンマルッコとはそういう馬なのだから。

◆

★おうまなみの競馬ブログ！～10月号～
菊花賞プレイバック
週半ばから雪のちらついた京都市内。波乱の予感もひしひしと、クラシック最終戦がやってきた。

うへ～雪かよ～雨かよ～出遅れかよ～ルーデスかよと事前の予想を散々裏切ってくれた菊花賞だったわけだけど、終わってみれば1－2－8番人気の堅い決着だった。いややっぱ三着ヤッティヤルーデスはちょっと意外だったわ。

もちろん、現地で見ていた人は誰一人として堅く終わったなんて印象を抱きはしなかっただろうけどね！　ひやひやさせやがって！

レースはスタートから大波乱。なんと一番人気のサタンマルッコがスタートで躓き大きく出遅れてしまったのだ。ゲート内で立ち上がって出遅れたフリートの宝塚が頭を過《よ》ぎった人は多いんじゃなかろうか。

皆さんご存じのように、京都競馬場は3コーナーから4コーナーにかけてが下り坂になっていて、向こう正面で長く坂を上るコースだよ。

坂の下りをトップスピードで下ると外に膨れてロスになるからゆっくり下るのが定石。ゆっくりとはいっても下り坂だからタイム自体は速いんだけどね。

菊花賞はこの3コーナーから始まる長距離のレース。だから多少の出遅れなんかは道中で幾らでも取り返せるんだけど（この辺が強い馬が勝つなんて言われてた理由の一つかな）今回みたいな10馬身以上の遅れは流石《さすが》にきついよ！

正面スタンド前～2コーナーまでは淡々と流れて、向こう正面に入ったところでレースが動いた。

最後尾のサタンマルッコが外へ出して集団に大きく並びかけた。縦川騎手が追い始めた時は場内騒然。おいおい大丈夫か、よしよしいったれ、言ってる事はバラバラだったけど皆がサタンマルッコに注目していたね。

それまで緩い流れだったんだけど（1000m63秒、1400m89秒）そこから一気にペースが加速。坂の上りにかけて各馬一気に足を使ったんだけど、動き出しの差でサタンマルッコが前に付けたね。

一方で万事上手く事を運んでいたスティールソード、後ろのペースアップもなんのその、淡々とペースを刻む。ストームライダーは坂の上りの時点でどこかぎこちなかったね。馬混みに飲まれてそのままって感じだった。

さて、前に付けて坂の頂上まで来たサタンマルッコ。レースを見ているとここでも縦川騎手が追い通しているように見えるよね。実はこれ、坂の頂上ではそれほど足を使ってないんだ。そこまで2F《ハロン》を11・7－11・7できているのに、ここだけ1F12・4だ。つまり息を入れていたって訳だ。縦川騎手渾身《こんしん》の追ってるフリ。

そうとも知らず、上りの途中からスパートをかけた他馬たちはここでも力を使っていた。恐らく坂の下りである程度ペースを落とすことを織り込んでいたんだと思うけど、少し遅れてスパートをかけたサタンマルッコにスタミナの差ですり潰されてしまったね。

そして4コーナー。先頭を走っていたスティールソード細原騎手。並びかけてくるサタンマルッコに併せて一気に加速。足りぬと見るや鞭が入ってたね。いやーあそこは痺《しび》れた。あのまま行かせると前に出られると思ったんだろうね。内に体を残して外を回らせた。

4コーナーの途中からは殆《ほとん》どマッチレースみたいだった。大外に身体が振られても内の馬との速度差は歴然だったね。

サタンマルッコがスタミナお化けだって事はもう分かってたけれど、スティールソードがここまで自在に動き回れる馬だとは思ってなかった人も多いんじゃないかな？

最後はハナ差でサタンマルッコが勝利。正直どっちが勝ってもおかしくなかった。

出遅れさえなければ〜って意見も多いけど、出たら出たでまた違った展開でスティールソードとマッチレースになったんじゃないかなって、おうまなみは思うよ。

個人的に今回一番株が上がったのはスティールソードかな！

うーん、三歳世代は先月も秋初戦スプリンターズステークスをダイランドウが勝利しているし、レベルが高い！

主な各陣営の動きとしては、サタンマルッコがＪＣ参戦。スティールソードは年明けまで休養。ストームライダーは年末の香港カップへ照準を合わせるぞ！　今後も注目だね！

来月の見どころ
来月はなんといってもジャパンカップ！
凱旋門《がいせんもん》賞を惜しくも二着に敗れたクエスフォールヴの帰国後第一戦だよ！
下の世代の代表格サタンマルッコと激突する！
今月末の天皇賞（秋）からもジャパンカップへの出走を予定している馬も多い。
激熱な対戦カードが見れそうで、今から待ち遠しい！

◆

ぶっほぶっほ。

うーん朝のトラックは気持ちがいいぜ。砂がひんやり湿ってるのがいいね。

どうかねジョッキーくん。君もそう思わないかね？　んー？

と本当に言っているかは定かではないが、サタンマルッコと鞍上の厩務員ユリスは早朝のダートコースを気分良く駆けていた。

クラシックタイトルを二つ獲得し、世代の中心としての立場を明確にした菊花賞。夢見心地のオーナー、出来すぎた結果に普段は冷静な小箕灘までもが舞い上がり、お調子者のクニコはいつもの通り。どこか浮ついた日々を過ごしていたが、それでも競馬は続いていく。次の戦いは十一月のジャパンカップ。そこへ向けてのトレーニングはもう始まっているのだった。

（悪路での激走だったけど、乗ってみても足元に違和感はないな……流石のタフネスというか、図太い仔だ）

夏に一度レース後体調を崩していたと聞いていたユリスは経過をやや心配していたのだが、レースより三日。ここまで平時と変わりなければ経過は良好と判断してよい頃だろう。

「――――！！！！！」

「おっと？」

まったりと散歩していたペースが突然変わる。何事かと様子を窺《うかが》えば、マルッコは前方を走る馬影を睨みつけている。

すらっとした、それでいてよく鍛えられていると分かる後肢、そしてシルエット。濃茶の鹿毛の馬体には見覚えがあった。マルッコが菊花賞で最後まで競り合った相手、スティールソードである。

『おいてめー何してやがんだここは俺のトラックだぞこらーぁん!? だいたいてめーこっちのモンじゃねーだろ! こっちで走ってるとこ見たことねーぞ! んだぁ? スカしやがっておらぁぁん? びびってんのか、あぁぁん?』

と言っているかは定かではないが、やけに幅寄せして顔を近づけている。向こうの騎手も何だコイツと困惑顔だ。

チンピラめいたその仕草にユリスは縦川から聞かされていた言葉を思い出す。曰《いわ》く、マルッコはあの馬の事がとても嫌いらしい。

要は、気に入らない奴《やつ》が居たから因縁をつけに行ったのだろうとユリスは解釈した。同時にマルッコの背中に尻を落とし鐙からも足を外して天神乗りに切り替える。手綱を引いて腹を締め付ければこの賢い馬の事である。意図するところは伝わるだろうと信じて。

「先程はナンカすみません。細原サン」

「お、おう。馬のことだし気にしてないんで」

場所は変わって栗東トレーニングセンター食堂。

おかしな日本語に微妙な顔をしながら、スティールソード主戦騎手、細原文昭はユリスの謝罪を受け入れた。朝の軽い運動をしていたところ、栗毛の丸《アイツ》が思わぬ剣幕で喧嘩《けんか》を売りに来たのだ。

ライバル馬の調教助手。距離感のつかめない相手だが、態々《わざわざ》席を外すほどの相手でもない。二人はそのまま相席した。

「いやしかし、まさか朝一からEコースを走ってるとは思わなくて」

「マルッコは坂路が嫌いなのデ、いつもダートコースを走っています」

「ああ、それであの馬の調教映像、いつもダートコースなのか」

「スゴイ顔します。いやそうな」

「変な馬ですもんね、あの馬。なんか競馬場で顔合わせるたびテツゾーに突っかかってくるし……」

「テツゾー？　それはスティールソードのことですか？」

「ああはい。そうそう。テツゾーもサタンのこと見かけると意識してるみたいでね」

「馬同士でも、そういうことはあるんでしょうネ」

実際にあれだけ露骨に絡まれれば嫌でもあるのだとわからされるが。

「なんていうか、こんなことアンタにいっても仕方ないんですけど……」

細原は一度言葉を切ってから、言おうか言うまいかの逡巡《しゅんじゅん》の後、

「確かジャパンカップに出るんだろ？　上の世代相手でも負けないでくれよ。俺達は春まで別路線

だからな。負かされた相手が負かされたら、勝たなきゃいけない相手が増えちまう」

「言葉が難しいですけど、なんとなくわかりました。ワタシに出来る限りを尽くしマス」

ダービー三着、菊花賞二着。立派な戦績ではあるが、華々しい戦績ではない。スティールソードが存在証明するためには、ストームライダーを、サタンマルッコを、上回らねばならない。今のままでは勝てないと考えたスティールソード陣営は雌伏の時を選んだ。

そこで会話は途切れた。何をするでもなく二人はサーバーから汲《く》んだカップの水を傾ける。

「そういえば、栗東にはいつまでいるんでスカ?」

出し抜けにユリスが訊《たず》ねた。

スティールソードは菊花賞後、疲れを取ってから美浦《みほ》へ帰る予定となっていた。そのため出会わなくていい二頭が出会い起こさなくていい問題が起きたりしたのだが、それはさておき。

「親父《おやじ》は木曜には輸送って言ってたな。正直負けたショックでロクに聞いてなかった」

細原は答えた。

「それは、ナンカすみません」

言葉を教えた奴は悪意があったんだろうか。微妙な言葉選びに細原は堪《たま》らず笑った。

「いいって。勝負だろ。それに乗ってたのトモさんだし」

「それもそうですね。スティールソード、いい馬です。けどマルッコは負けませんヨ」

「ああ。次は負かしてやるから覚悟しとけよって、そうだな……あの馬にでも伝えておいて下さいよ。それじゃ」

眩《まぶ》しい若さを持つ人物だった。細原の背中を見送りながら、ユリスはそんな事を思った。

ざあ、と水の流れる音と飛び散る音。その日の運動を終え、マルッコは洗い場で身体の汚れを落とされていた。

あーえー気持ちじゃーとのほほんとした面のマルッコの周りを、ブラシを持ったクニコが忙しく動き回っていた。耳に水が入らないように後頭部から首、ブラシを立て過ぎないように身体、とテンポよく磨き、もう一度水で流す。

「マルッコ、蹄やるからねー」

されるがままに足を持ち上げられ、蹄の中が掃除される。ゴミや汚れが詰まりやすい箇所なので注意が必要だ。それを都合四度繰り返し、最後にはハケで全体の水気をざっと飛ばし、タオルで拭き取る。それが済むとクニコはぽんっと身体をたたく。

「よしお終《しま》い。部屋に戻るぞー」

「ひーん」

綺麗《きれい》になったマルッコはご機嫌に尻尾を揺らしながら、須田厩舎にて間借りしている馬房に戻った。

馬房に戻ると用意してあった飼葉箱に顔を突っ込み、もぐもぐ咀嚼《そしゃく》を始める。その様を見届けてクニコは仕事が一段落したと肩の力を抜いた。

パイプ椅子を広げて、競馬新聞を手に取る。一面記事はフランスから帰国したクエスフォールヴについてのようだ。そんなことよりうちのマルッコの菊花賞はと紙面をめくっていると、不意に視線を感じた。

今日、ユリスは自分のトレーニングのために不在である。ならば、と新聞を下げると、愛嬌のある漆黒の瞳がその向こう側からこちらを覗《のぞ》き込んでいた。

「どうしたマルッコ。もう食べちゃったのか？」

どれ。と飼葉の補充を行うが、興味を示さない辺り、どうもそうではないらしい。

じゃありんごか？　あげすぎも良くないが、今日はまだ食べてないから一つくらい食べさせても問題ないだろう、とダンボールからりんごを取り出し、果物ナイフはどこだったかと探しに出かけたところで、

「ひーん」

びよーんと服の裾を引っ張られた。

「なーによマルッコ。なに、あれか？」

頻《しき》りに伸ばされた首の先を見やれば、雑に畳まれた新聞紙。ああ。新聞紙をおもちゃにしたかったのか。クニコはマルッコがたまにやる遊びを思い出し、読んではいないが興味も薄い一面記事を取って渡した。

器用なもので、マルッコはそれを咥《くわ》えると馬房の奥に引っ込んだ。

何をするのかと覗き込んでみれば、そろそろと新聞紙を床に下ろして、あっちを咥えたりこっち

を咥えたり、身体の向きを変えた上でもう一度咥えたりして綺麗に広げたようだ。その上でじーっと紙面を見つめている。こうしていると本当に新聞を読んでいるように思えるが、脱ぎ散らかしたTシャツでも同じ事をしているのを見かけた事があるので、恐らく意味ある行動ではないのだとクニコは考えている。共同体であるクニコや小箕灘のマネをなんとなくしているだけで。

「マルッコ。りんごは食べるのか？」

顔を上げ、その手に握る赤い果実を見たマルッコは、ひんっと短く鳴いた。

仕事上がりで家でごろごろしてる更年期のおっさんみたいだ。

りんごを剝《む》いて千切りにして戻ってみると、新聞紙はビリビリに破かれていた。

「あーあー部屋を汚してもー。何がしたいんだよお前ー」

最近覚えた必殺技、つーん、を発動し知らぬ存ぜぬを体現するマルッコ。

本当によくわからない奴だな。クニコは苦笑しつつ、手ずからりんごを与えるのだった。

和芝が枯色に変わる十一月。サタンマルッコの姿は栗東トレーニングセンターCWコースにあった。鞍上には主戦騎手縦川友則。週末に控えるジャパンカップへ向けての最終追い切りである。

次走人気の一角を見逃さんとカメラを構える報道陣を前に、サタンマルッコは常ならぬ気迫の籠った走りを見せた。

前脚をダイナミックに搔《か》き込む力強い動き。一本の矢であるかのようにトラックに伸びる栗色《くりいろ》の軌跡は順調さを窺い知るには十分であった。

「菊花賞が終わってから、なんだかやる気マンマンって感じなんですよ」

調教を終えた縦川はインタビューに対しそう口火を切った。

「こんなのダービー以来なんでね。勿論《もちろん》手応えはいいですよ。この馬はいつ走らせても動きは悪くないんですけどね、はっきり良いって言えるのは珍しい事でね。動きよりもやる気になってる事が大きいですよ。一戦使ってピリっとしたって言うのかな？　相手が強い事は勿論知ってますけど、こっちも世代戦を二勝してるんですから。胸を借りるつもりなんてありませんよ。勝ちに行きます」

ジャパンカップ part5

556 名無しさん@競馬板 20NN/11/NN ID:xxxxx32u0
などと供述しており

557 名無しさん@競馬板 20NN/11/NN ID:xxxxxaxl0
トモさんよぉ、アンタが吹いたらいかんでしょうが

560 名無しさん@競馬板 20NN/11/NN ID:xxxxxvBu0
戦犯縦川

561 名無しさん@競馬板 20NN/11/NN ID:xxxxxijX0
このトモが吹いただけで負けが確定したかのような雰囲気

566 名無しさん@競馬板 20NN/11/NN ID:xxxxx/0j0
初心を忘れた縦川。慈悲は無い
いやほんとたのむよダービーのときみたいに黙っててくれよ

567 名無しさん@競馬板 20NN/11/NN ID:xxxxx1zA0
(――2get の予感――)

569 名無しさん@競馬板 20NN/11/NN ID:xxxxxyTr0
二着付けは決まったなｗｗｗｗｗ

570 名無しさん@競馬板 20NN/11/NN ID:xxxxx90X0
一着クエス二着サタンで決まりだな
馬単４倍とかになりそう

572 名無しさん@競馬板 20NN/11/NN ID:xxxxxKJ30
実際クエスどうやろな
長期遠征から帰国後一発目って走るもんなん

575 名無しさん@競馬板 20NN/11/NN ID:xxxxxbkr0
身体つきから変わってるから日本の高速馬場が合わなくなってる可能性はある

576 名無しさん@競馬板 20NN/11/NN ID:xxxxxdmn0
シュッとしとるな

577 名無しさん@競馬板 20NN/11/NN ID:xxxxxwRr0
いいてえだけだろｗ

578 名無しさん@競馬板 20NN/11/NN ID:xxxxxndN0
ゆうて馬場改修後のロンシャンは芝が軽くなったって評判だぞ
つまりは高速馬場化してる

583 名無しさん@競馬板 20NN/11/NN ID:xxxxxwqp0
もう単純に能力だけ信じてクエスでいいだろ
大阪杯春天かててここ負けるとか考えられない

584 名無しさん@競馬板 20NN/11/NN ID:xxxxx/aL0
能力っていうけど、クエスって去年の有馬までぱっとしなかつたじゃん

589 名無しさん@競馬板 20NN/11/NN ID:xxxxxffv0
まあ今年のクラシックでいったらスティールソードだったな
しかしクエスのあれは鞍上福岡という超ド級のハンデ背負っての結果であってだな

597 名無しさん@競馬板 20NN/11/NN ID:xxxxxSdh0
デイヴィッドパイセンさすがっす

やっぱ外人かっときゃいいんだよ

600 名無しさん@競馬板 20NN/11/NN ID:xxxxxvce0
福岡から乗り変わった馬の勝ちあがり率よ

601 名無しさん@競馬板 20NN/11/NN ID:xxxxx4460
呪いが解けてから国内無敗だろ
有馬、中山記念、大阪杯、天皇賞
海外でも凱旋門まで二戦負け無し

602 名無しさん@競馬板 20NN/11/NN ID:xxxxxErd0
クエス一強
サタンマルッコとかいう駄馬駄馬の駄馬はいらん

603 名無しさん@競馬板 20NN/11/NN ID:xxxxxwxd0
騎手云々というより晩成だっただけっぽいがな
来年も海外狙えるんだし、無理してＪＣでなくてよかったのにな

604 名無しさん@競馬板 20NN/11/NN ID:xxxxxr4u0
つかクエス春国内三戦、海外一戦？
なんか今にして思うと結構使ってたんだな。今日日珍しい。

611 名無しさん@競馬板 20NN/11/NN ID:xxxxxg7i0
とはいえ四歳世代の主役だし出て欲しいわ

614 名無しさん@競馬板 20NN/11/NN ID:xxxxxfgd0
半年近く海外だからあんま主役って感じないけど、言われてみりゃそうだな
国内組だとモデラートが宝塚と秋天かったが、四歳に入ってからクエスにかってないしな

616 名無しさん@競馬板 20NN/11/NN ID:xxxxx09y0
そもそもサタンマルッコはここで足りるのか

618 名無しさん@競馬板 20NN/11/NN ID:xxxxx/jo0
ダービーと同じ走りが出来ればって感じだが、コースの状態がだいぶ違うからな
あの時と同じには見れないかもしれん

620 名無しさん@競馬板 20NN/11/NN ID:xxxxx2uu0
三歳勢はあとラストラプソディーだが、こいつにクエス討伐はちょっとキツいぞよ……

621 名無しさん@競馬板 20NN/11/NN ID:xxxxx3sQ0
Ｓ氏以外の三歳勢に期待するくらいなら古馬からいい馬さがすわ
意外とハイエンドシーみたいな馬の外差しがぶっさささって勝ったりしねえかな

623 名無しさん@競馬板 20NN/11/NN ID:xxxxxdyU0
追い比べになったらサタンは負けないだろうな
負けるとしたら外から一気にまくられるとかそういう展開
つーか脚質的にスペック差以外で負けようないしなあの馬

625 名無しさん@競馬板 20NN/11/NN ID:xxxxxbbJ0
あしがおそいしなサタンマルッコ（ワラ

626 名無しさん@競馬板 20NN/11/NN ID:xxxxxolm0
ワラおじいつも書き込むの遅いな

「はい、引き続きミドリチャンネルスポンサードみんなで競馬、今日はジャパンカップ直前特集回ということでお送りしております。司会は栗岡《くりおか》みなみと」

「黄島達也《きじまたつや》。そしてその他愉快な馬券おじさんたちでお送りいたします」

「ちょっちょっちょぃ、私はともかく竹中《たけなか》さんはおじいさんでしょう！」

「ほほほ、貴方《あなた》もすぐにこちら側ですよ大谷《おおたに》さん」

「と、和気藹々《わきあいあい》と送っておりますが、竹中さん。これまで追い切り調教などを見ながら色々とお話を聞いて参りましたが、馬券のほうの予想を、お聞かせください！」

「ええ。それじゃあ、はい、どん。私の予想はですねぇ、
◎クエスフォールヴ
○サタンマルッコ
▲モデラート
△ハイエンドシー
×ヴェルトーチカ
といった感じですねぇ」
「ほーここはサタンマルッコが本命ではない、と」
「私をダービー予想家にしてくれたサタンマルッコには勿論思いいれがあるんですが、ここは

ちょっと、クエスフォールヴには逆らえないですねぇ。或《あ》いは２４００ｍ以上でならサタンマルッコを推したんですが、府中の２４００ｍとなるとやはりこの馬かなと思いますねぇ。春先のＧⅠで荒稼ぎしてねぇ、あれから馬っぷりも上がってますから。特に欧州へ渡ってからの身体つきたるや、ものすごいですね。凱旋門へ向けてクラシックディスタンスを勝つんだ、という気概を感じたものですよ。凱旋門の方は惜しい結果に終わってしまいましたがね、そのお釣りでここは楽々いけちゃうんじゃないか、そんなところですねぇ。

サタンマルッコは菊花賞からのローテーションで無理はないですねぇ。中間、それから最終追い切りの調教も、この馬にしては珍しく動き抜群と良化要素が多いですねぇ。

秋がまだ二戦目というのも良いですねぇ。

ですので調子は十分。あとは単純に実力の勝負。そこに尽きるんじゃないでしょうか。これまで以上を見せてくれるのならば、打倒クエスフォールヴの一番手はこの馬で間違いないでしょう。

モデラートは実力上位で間違いないのですが、左回りがね、えぇ、ちょっと苦手なお馬さんですから。三歳の頃から改まる事がなかったので、ここでは割引が必要かなということで三番手の評価。ハイエンドシーなんかは全く逆でね、府中２４００ｍを得意とする馬ですから。去年一昨年と好走していますから。えぇ。今年こそはやってくれたりするんじゃないでしょうか。

ヴェルトーチカは展開重視で選びましたねぇ。恐らくサタンマルッコが全体を引っ張るレース展開になるでしょうから、内々を突いて回り、後ろから差し切れる実力のある馬となるとヴェルトーチカかなといった所で穴馬指名です」

「なるほど、ありがとうございました。やはりという馬の名もあれば、おや、と意外に思うような馬の名前もありましたね」

「それでは続いて大谷さんの予想をお願いします」

「はい！　私は、はいどーん！
◎ラストラプソディー
○ハイエンドシー
▲マイティウォーム
△ヴェルトーチカ
×サタンマルッコ
です！」

「おおークエスフォールヴを外してきましたか」

「ジャパンカップはここ数年海外勢が揮《ふる》いませんでしたからね。半年の期間海外で過ごしてきたクエスフォールヴは実質海外馬という扱いでいいんじゃないか。というところがこの予想の骨子でしてね！」

「なるほど。そういった着眼点からクエスフォールヴを外し馬券の旨《うま》みを狙いに行くと」

「ええ、そうですとも！　ラストラプソディーはお父さんの――……」

昔はこの時期の府中は枯れ芝だったんだけどなぁ。

国内の選《よ》りすぐりの競走馬対船来の競走馬の戦いを見守るため詰め掛けた観客でひしめく十一月二十七日東京競馬場第11Rパドック。パドック周回中のマルッコの背に揺られながら、パドックの中央で青々と揺れる洋芝を縦川は何とはなしに見つめていた。

「今日のマルッコ、集中してますね」

引き綱を持つクニコがそんな縦川に声をかけた。

「本当に。菊花賞で反省したのか、カメラに見向きもしないですよ。しっかり歩いて身体を解《ほぐ》してますね」

今日のマルッコは、ずんずんと前肢に後肢がぶつかるほど踏み込み、大勢居る観客にも乱されずレースへ向けて感情を高めているように見えた。いつもの落ち着きの無いパドックと異なり、好走する直前の馬が持つ良い雰囲気を纏《まと》っているとさえ言えた。

あの中間で、この手応えならば。縦川の胸にも期するものがあった。

「それにしても、ユリスはやっぱりあのユリス・ユミルなんですねぇ。分かっちゃいましたけど、ああして偉い人の輪の中に居るのを見ると、本当は凄い奴なんだなぁって思っちゃいます」

クニコの視線はパドックの内、緑の芝生の上で歓談するノースファーム代表、吉沢富雄《よしざわとみお》と小箕灘厩舎で調教助手をしているユリスの姿を見つめていた。

日本では偶に短期免許で現れる外国人ジョッキーという認識のユリスだが、直接関わっている人間からすればかつて世界のトップリーディングの一角であった若き名手である。騎乗依頼などで知己である吉沢は当然のようにユリスの姿を認め、昔話に花咲かせているのである。それは純粋に精神の快復を祝う話であったり、時にビジネスの話であったりした。

「以前がどうあれ、今の状態は彼が望んだことだからね。そんなに気にする必要はないんじゃないですか？」

「あたし、バカだから気に出来ないってのもあるんですけどね」

「うぃーん」

うるせーなーとでも言いたげにマルッコが唸《うな》った。普段と立場が逆だな、とクニコと縦川は余計に笑みをこぼした。

状態は良い。集中もしている。レースのペースプランはこれまでの調教でみっちりやった。後は相手か。縦川は二つ前を行く黒鹿毛の馬体を観察した。

黒い毛並みに四つの半白。凱旋門賞二着のクエスフォールヴ。今回のレースで最も手強《てごわ》い相手となるのはあの馬であるというのがチーム小箕灘の結論だった。

隙の無い先行抜け出し型。それは同世代においてストームライダーと同型の脚質だが、年齢が一つ上の分、道中のペースに奥行きが感じられる。道中が遅ければ終いの足を長く使い、道中が早ければ終いまで失速しない足を使う。昨年末から国内を圧倒したその実力は正に王道と呼んで良い物だ。

(隙があるとするならば、オーバーペースの逃げ馬に出会った事が無い点)

上の世代にはコレといった逃げ馬がいない。逃げ馬不在の際にはクエスフォールヴ自身が先頭を切っていたほどだ。最後の直線だけの勝負にされては厳しい、鋭い末脚を持たないマルッコの出す答えは決まっていた。

前へ、より前へ、だ。

「やるぞ、マルッコ」

「ぶるるっ」

誘導馬に従い、地下馬道へ向かう人馬は心持ちを新たにした。

◆

「それではレースの模様を見ていきましょう。実況はラジオNK河本哲也《こうもとてつや》さんです」

《秋の西日と金管の音色、そして沢山のお客さんの歓声を浴びて、今年は三頭の外国馬を含む十八頭でのレースとなります東京第11Rジャパンカップ。

注目はなんといっても凱旋門賞で目覚ましい活躍も二着に惜敗したクエスフォールヴと、三歳世代の王者として君臨したサタンマルッコの対決。今年国内無敗の王者に土を付けるのか、それとも王者が貫禄《かんろく》を見せ付けるのか。さらには海外で戴冠こそ無いものの、それぞれの舞台で実力を発揮する海外の優駿達三頭。この三頭がどういった走りを見せ、また、日本の代表馬達はそれにどう応えるのか。

出走各馬は既にゲート入りを始めております。奇数番号の馬の枠入りは順調に収まり、続いて偶数番号の馬が収まっていきますが、⑯番のハイエンドシーが……どうやら枠入りを嫌がっているようです。今勢いをつけて行きますが、んー収まりません。

係員がロープを持って、もう一度勢いをつけて……入りました。最後に⑱番ファミファミヌルが入りました！

日本一の称号は誰の手に。第NN回ジャパンカップ……スタートしましたッ！

サタンマルッコいつものようにスタート絶好！　スーッと泳ぐように先頭へ立ちました！

内の方①番キャリオンナイトがダッシュが付かず後ろへつけたようですがその他各馬は揃《そろ》ったスタートとなったようです。

さあ猛然とサタンマルッコが後続を引き離しつつ1コーナーへ、このまますんなりいけるのかどうか。二番手争いですが内に一頭分あけて⑤番ラストラプソディー、その外⑬番マイティウォームがつけて後ろに追走が⑨番モデラート。その後ろ2馬身切れて内の方⑪番グレーターミューズ、⑯番ハイエンドシーなどがいてその外！　いつの間にかその外目に⑥番クエスフォールヴがいた！　これはマークで包まれるのを警戒した騎乗なのか鞍上デイヴィッド・ロペスの選択！

先頭のサタンマルッコが1000mを通過します。既にかなりの差が開いていますが、通過タイムは——57秒5！

はやいぞこれは凄いことになった、⑧番サタンマルッコ今日は力の逃げ！

後続とは既に……14、5馬身ほどの差を開いている！　果たしてこのリードはどこまで持つのでしょうか。


向こう正面に入り、後続の隊列は変わらず先頭が⑤番ラストラプソディー単走となりましたが、外目すぐ後ろに⑬番マイティウォーム、そこから4、5馬身間が空いて⑨番モデラート今日も前までは届くか竹田《たけだ》豊《ゆたか》。宝塚記念の再現なるかどうか。

間が空いて⑪番グレーターミューズ、その外に並ぶように⑯番ハイエンドシー更にはクエスフォールヴも位置を上げていて、それを見るように後方集団、⑱番ファミファミヌル、③番ヴェルトーチカなどが一団となっていて最後方①番キャリオンナイトといった、先頭から最後方まで20馬身くらいあるのではないかという、縦長の体勢となりました第NN回ジャパンカップ。


先頭をひた走るサタンマルッコ縦川友則。

ざわめきの中先頭のサタンマルッコが3コーナー大欅《おおけやき》の向こうへ姿を隠します。

今日はどうだ。今日はこれでいいのかどうか。

しかし後方集団も前へ差を詰めに迫ってきている。馬群も前後が詰まりかなり密集しています。

800の標識を通過、サタンマルッコとの差がぐんぐん詰まっている、サタンマルッコの息はどうだ、足はまだ残っているのかどうか。

最後方①番キャリオンナイトは既に鞭が入り追い上げ体勢、集団前の方は⑨番モデラートが⑤番ラストラプソディー⑬番マイティウォームと入れ替わるように抜け出していく、⑪番グレーターミューズ、⑯番ハイエンドシーらも位置を上げる中、⑥番クエスフォールヴは外へ持ち出している！　デイヴィッドの手は既に動いているぞ！

さあ先頭のサタンマルッコが直線に入る！　リードは7、8馬身！
後続各馬は一気に追い上げ体勢、二番手追いすがる内⑨番モデラート、⑤番ラストラプソディー、マイティウォームだが伸びがどうか!?
外の方では⑪番グレーターミューズが、おおっとその外を猛烈な勢いでクエスフォールヴが追い上げてくる！　凄い脚だ！　クエスフォールヴ脚色が良い！

前のサタンマルッコとは2馬身差！　残り２００を切る！

1馬身！　大外迫るクエスフォールヴ！　内逃げるサタンマルッコ！

並ぶか!?

並んだ！

並んだ！

かわした！　クエスフォールヴ先頭！

今度は1馬身！　クエスフォールヴ！　サタンマルッコ食い下がる！

ああああっとこれは馬群の中からキャリオンナイト！　物凄い脚だ！

前の二頭にはどうだ！　届くか！

いや、これはクエスフォールヴ鈍らない！　クエスフォールヴ！　クエスフォールヴ！

クエスフォールヴッ！》

◆

後ろの脚色がいい。

この馬に乗って久しく感じなかった焦燥感に身を焦がされながら、縦川は府中の坂を懸命に騎乗していた。

序盤は作戦通りのリードを取る事が出来た。

しかし3コーナー辺りから後方のペースが予想以上の上がりを見せ、直線を向いた時点で予定されていたリードを保てていなかった。

だが4コーナーから坂の手前まできっちり息を入れた。ここからもう一伸びすれば、3コーナーから追い通しの後続は届かない――はずだった。

内を走るモデラート、ラストラプソディーら先行勢は見事に脚を鈍らせた。

むこうは追いかけるのに脚を費やした。一方こちらはスタートで得た位置取りの有利をそのままに余力を残している。そうあって然《しか》るべき結果だ。

しかし大地を踏みしめる馬蹄《ばてい》の音は近づいてきていた。果たしてその馬は来た。大外から豪脚を伴って。

（やっぱりこの馬か、クエスフォールヴ！）

漠然とした違和感。

後続はハイペースの追従で漏れなくすり潰したはずである。後続の末脚と同等かやや劣る速さで走れば直線に入った位置取りの差で勝利は揺るがない。サタンマルッコの勝ちパターンに入っているはずだ。であるならばあの馬の末脚は鈍っていて然るべきだ。だがそれが無い。まさかと脳裏に可能性が過ぎる。

（おいおいおい止《よ》せ止せ。まさか、よりにもよって、走った事もないようなハイペースが得意だったのか!?）

確かにクエスフォールヴに1000m57秒台のハイペース競馬の経験は無かった。しかしそれは必ずしも苦手としているとは限らなかったのだ。

速いだけの展開に苦手も何もあるものかと思われるかもしれない。

いるのだ。平均ペースで繰り出す末脚を10とするなら、ハイペースで繰り出す末脚は5か6である。そんな中自分も同じだけのペースで走ってきたにも拘《かかわ》らず7や8の末脚で長く走れる馬というものが。

記録に残るコースレコードの数々はハイペースの逃げ馬かそれを差したハイペース適性が高かった穴馬によって記録されたものである。

それがよりにもよって所謂《いわゆる》『普通の競馬』でGⅠを勝って来た馬がそうであったと言うのだから、最早《もはや》天敵と言うより他ない。

残り150mほど。ついに交わされた。

だがまだ盛り返せると縦川が思った、その時だった。

「なっ!?」

なんだ、と思った次の瞬間、マルッコの足並みが、一完歩分だけ乱れた。

ありえならざる現象。走るのを止めたのでもなく、手前を変えたのでもない、ただの乱れ。余力はまだ残っている。ならば故障か、最悪の可能性が脳裏を過ぎる。しかしマルッコはそのまま速度を落とすことなくゴール板まで駆け抜けた。

凄《すさ》まじい歓声が身体を叩く中、ゴール後縦川は鞍《くら》から降り、脚を診た。

異常は見られない、ように思えた。しかし――

「ぐるる……ッ」

マルッコは怒っていた。喉を鳴らして、荒い呼吸を繰り返し、筋肉を隆起させながら。憤然と大地を睨みつけていた。

これに似た姿はかつて見たことがあった。スティールソードに負けた青葉賞のゴール後だ。あの時は勝ったスティールソードへ怒りを向けていた。しかし今はどうだ。これではまるで、己自身の至らなさを嘆いているようではないか。

瞬時に蘇《よみがえ》る、直線で手綱越しに得た、あの不自然な感情。あれは、あれは恐らく——

「なあマルッコ。お前はあの時、何を迷ったんだ？」

大外から抜き去ったクエスフォールヴを見て、お前は何を迷ったんだ。マルッコ。

怒りに震える栗毛の怪馬の瞳には、決然とした意志が浮かんでいた。

終章
夢の始まり

風――最も欲していた風を感じ取った瞬間、ユリスはこれが夢であると察知した。さりとて気付きに反して夢は覚めず、この素晴らしい時間は暫《しばら》く続くようであった。

夢の中の自らは馬上にあった。それにどうやらトレーニング施設の平原を走っているようでもあった。見覚えのあるこの景色はシャンティイか、それにしては遠景が異なるので何処《どこ》か別の場所の景色が混ざり合っているようにも見える。そう思えばらしい夢だな、とユリスは苦笑した。

「セルクル、君も駆けるのか」

居る筈《はず》の無い股下の相棒がヒヒンと嘶《いなな》く。黒い馬体がぐんと沈み込み、強烈な体重移動と猛烈な加速が訪れる。

夢の中だからなのか、現役のときでもこれほど上手《うま》くはなかっただろうと言う程に負荷がかからず、水面に浮かんでただ摑《つか》まっているだけのような、そんな手応えのなさだけが身体《からだ》の感覚として与えられていた。

乱交代する手前、無限に続く加速。『地上を走る』というよりは『低空を飛ぶ』強烈な体験。

そうだとも。自分はこの走りに魅了されたのだ。

ネジュセルクルという今は亡き盟友の走りとは、このようなものだった。

ユリスは視界が眩《まばゆ》いものに覆われていくことに気付いた。いよいよ目も開けられないような光で満ちた時、現実で瞼《まぶた》が開いていた。視界の半分を覆う腕とその隙間から除く寄宿舎の天井。

ああそうか。セルクルはもう死んでしまっていて、自分はその幻影を追って日本に来ている。そしてセルクルに良く似た、サタンマルッコという馬の世話をしている。現実感と認識が一致し、本格的に目が覚めていく。

「マルッコ……キミは良く似ている。額の白斑も………その走りさえも………」

思い返すのはジャパンカップでの直線。躊躇《ためら》うように交差した前肢、その逡巡《しゅんじゅん》。

あれは、走り方を変えようとしていたのではないか。


話したいことがある。チーム小箕灘《こみなだ》がユリスの招集に応じ、顔を揃《そろ》えたのはジャパンカップの二日後だった。

会議と言えばマルッコの馬房前でパイプ椅子を並べて、というのが定番だったが、今日に限っては事務所で机を挟んでの開催となっている。

「お時間をとらせてシマい、すみません」

「いや、いい。それで改まって話ってのはなんだ?」

切り出したユリスに小箕灘が促す。ユリスはタブレットを取り出し、クニコ、縦川《たてかわ》、小箕灘に見えるように置いた。

「ジャパンカップでの、マルッコの走りについてでス。縦川サン。直線でクエスフォールヴに抜かれたトキ、何か違いませんでしたカ？」

タブレットにはストリーム再生の途中で止められている動画が映っている。乾いた西日を浴びて走るサラブレッドの群。内ラチ沿い先頭付近を走る馬の額には白い丸型の星。言われなくともすぐに分かる。ジャパンカップの直線であった。

ユリスは何度か画面をタップし、映像をコマ送りにした。マルッコの足の動きがパラパラと進んでいく。

ここです。ある時になって、ユリスが口を開いた。

「どうですカ？」

「……うん。そうだ。この瞬間、足の使い方が一瞬変になった」

縦川は反芻《はんすう》する。残り２００ｍを過ぎたあの一瞬。あの一完歩《かんぽ》。故障を疑い、そうではなかったあの瞬間。

「レース後も話してたが、それはどういう具合に？」

「妙な、としかお話しできません。手前を変えるのに失敗した、というのが一番近い表現だと思うんですが、それともまた何か違うような気がしていて」

馬のギャロップとは人間に置き換えると片足飛びに近い。もっと正確に表現するなら山道などに多い一段を一歩で上れない奥行きのある階段を上る時だろう。

最初の段を左足で上った場合、次の右足は同じ段を踏むため負荷がかからない。

それを続けるうちいつか左足だけが疲労してくるはずだ。

馬もこれに似ており、常からギャロップする時、足が接地する順番は固定されている。当然人間と同じようにそのままではやがてどちらかだけが疲れる。

そこで足を出す順番を変える。これを手前を変える、と表現する。競馬においては直線での追い込み時に手前を変える馬が殆《ほとん》どだ。

直線で追い出したときに手前は変えたはずだが、それに似た何かが起きた、と縦川は語った。

小箕灘は唸《うな》る。

「何かに躓《つまず》いたって線が一番納得できそうだが、そういう話ではないんだろう、ユリス？」

「ハイ。私はこれに覚えがあります」

ネジュセルクル、という馬をご存じでしょうか。

沈痛な面持ちでその名を告げたユリスに、クニコが答える。

「ヨーロッパで活躍してた馬だよね。凱旋門賞《がいせんもんしょう》で予後不良になった」

「ハイ。彼は私のパートナーでした。そして彼との生活の中で、一度だけ、このマルッコと似た事がありました。とてもよく覚えています。もしも原因が同じなら、解決したいと思い、今日お話ししました」

ユリスが騎手生活を休んだ直接の原因である競走中止だ。その事件自体は縦川も小箕灘も知っているし、そこから立ち直るために厩舎《きゅうしゃ》で働いているという事情も本人から聞いている。

「それはつまり何だ？」

「セルクルには特別な走りがありましタ。ギャロップよりも更に速く走る足運びが」

言葉が難しいですが、と言語の壁に苦しみながらユリスがたどたどしく説明した内容は纏《まと》めると
このような物だった。
通常、得手不得手はあるものの、大概の馬は道中走ってきた手前と逆の肢に手前を変えてラスト
スパートをする。しかしネジュセルクルはそこから更に足の運び方を変え、もう一段階加速する事
が出来た。その走りをやろうとして失敗した時に動画内のマルッコの状態は酷似している、という。
「つまり、直線で回転襲《しゅうほ》歩に切り替えようとしたってことか。言われて見れば、スタートの時と
感じは似ていたかもしれない」
縦川はそのように理解し、それが正しい認識だった。
馬が襲歩《ギャロップ》する場合の常の歩方は交叉《こうさ》襲歩と呼ばれ、後肢から前肢にかけて順に右左右左と肢を繰
り出すが、回転襲歩の場合右左左右と繰り出す。
回転襲歩は馬が自然に走る場合、停止状態から加速する時に用いられる。競馬で言えばスタート
直後の足運びだ。急加速、急旋回に有利な歩方で、短距離走を得意とする肉食獣などはこの足運び
で走る。実に理に適《かな》っている。
「それが本当ならすげぇ事だが、本当にそんな事出来るのか？」
「マルッコがそれをするのかは、分かりませン。ただ、事実としてセルクルはそれを行い、レース
を勝ってきました。そしてこの走法には問題がありマス。背中から腰にかけての負担がトテモ増え
る事です」
腰椎断裂骨折。そうか、それで、と縦川と小箕灘の脳裏に閃《ひらめ》くものがあった。

「セルクルと同じ丸い星を持って生まれたからなのカ、きっとこの走りがマルッコの持つ本来の走りなのではないでしょうカ。だからあの時、負けまいと足運びを変えようとして、失敗した……と私は考えまス」

ネジュセルクルの額の白斑とマルッコのそれは良く似ている。それがユリスの心を癒した話も聞いていた。しかし、星の形が似ているからと言って走り方まで安易に関連付けて連想してしまってよいものなのだろうか。何か別の理由があるのではないか？

「まあ、よく分かんないですけど、試してみたらいいんじゃないですか？」

途中から理解する事を放棄したきらいのあるクニコがあっけらかんとそう言った。

「……それもそうだな。明日のトレーニングで少し追ってみよう。何か変化があるのかもしれない。縦川さん、明日乗ってもらっていいか？」

「はい。任せてください」

「今日はお話を聞いてくれて、ありがとうございました」

「いや、よく聞かせてくれたよユリス」

いえ、俺は……。母国語で出た否定の言葉は誰にも伝わる事は無かった。翌日に持ち越しということでその場は解散となった。

マルッコの試走は利用者の多い朝の時間帯でなく、比較的人馬のはける昼下がりに施行された。

「それじゃあ一周回って直線で追ってみてくれ」

敗北から明けたマルッコはふんすふんすとやる気十分に鼻息を荒げながら前肢で砂を掻《か》いている。

その背に跨《また》がりながら、縦川は頷《うなず》いた。コース脇ではクニコとユリスも見守っている。

いつものように滑らかな発進から加速。強くは追わず緩めのギャロップでコーナーを回る。あのジャパンカップの直線のようなおかしな手応えは今のところ無い。

向こう正面に到達し、少し速いか、と縦川がペースを落とそうとした時、それは起こった。

(なんだ……?)

背中から伝わるやる気。気分任せに走っている時の追い出し合図のようなふわふわした物では無く、走らせてくれという鋭く強い意志。

分かった。やってみろ。

ユリスの予想は正しかったのかもしれないと認識しつつ、コーナーを曲がる。

さあ直線。何をやるのか見せてみろ。

股下から膨れ上がった生命の躍動、力の波動、或《あ》いは生命そのものが爆発したかのような存在感。

ぐんっ、と沈み込む馬体。伸びきった首と連動した前肢が力強く砂を噛《か》む。

(あ……)

そこで縦川の身体は宙を舞った。

まずい、と思った次の瞬間、身体を丸め落下の衝撃に備えたのは長年の騎手生活の賜物《たまもの》であろう。

背中から落馬した縦川は何度か地面を転がり衝撃を逃がした。とはいえ痛いものは痛い。地面が砂で助かった等《など》と考えながら顔を顰《しか》め膝立ちすると、何かが日の光を遮った。

「ひーん……」

そのまま放馬してしまったかと思っていたマルッコだった。背中の相棒を放り出してしまい、慌てて戻ってきたのだ。

めずらしく心底すまなそうな表情をしている僚馬に、縦川は堪《たま》らず笑みを浮かべた。

「心配するな。どうってことない。むしろ俺の方こそ悪かったな。落ちちゃって。お前の方こそ大丈夫か？」

鼻先を首元に押し付けるマルッコをあやしていると、ユリス達《たち》が異変に駆けつけた。

「怪我《けが》はありませんかトモさん！」

「わかんないけど、骨とかは大丈夫そう。立てる……うん。立てるから平気かなたぶん」

「アトで病院に行きまショウ」

「ああ。それよりもユリス。君はあの状態の馬に乗れてたのか？」

あの状態、とは落馬する直前のことだった。昨今主流のモンキー乗りは不安定な騎乗法だ。左右は言わずもがな、特に前後の動きに弱い。あれほど急激にバランスを変えられては、身体ごと吹っ飛ぶのも道理といえた。

「まさかマルッコがいきなり全力で走ると思いませんでシタ。注意しておくべきでした……スミマセン」

「いや、いいい。それよりあれは……いや、やっぱりいい。こういうのは人に聞くより自分で感覚を作った方がいいな」

「縦川サンがそれでいいのなら……ただ、今日はもう病院へ行きまショウ」

「そうしようか。小箕灘先生があわあわしちゃってるし」

「ほんとだ。センセイって気が小さいから、損害保険がーとか考えてそう」

そういうのも含めて調教手当てがあるのに、と三人は笑いながら、マルッコを伴ってトラックを出た。

こういう気分は久しぶりだった。落とされる心配など、縦川は新人のころでさえ殆どしなかった。

傍らでしゅんとしているマルッコの首を叩《たた》く。

「遠慮なんかするんじゃないぞマルッコ。勝つためだ。俺とお前で」

ひんっ。分かったような、分からないような、そんな嘶きが師走も近い秋空に響いた。

次走は年末の祭典、ＧⅠ有馬記念。

そこには、先のジャパンカップ覇者クエスフォールヴも出走する。

二度は負けない。人馬の瞳に炎が宿る。


須田《すだ》から声を取ったら一人前。そんな格言が取材記者の間で囁《ささや》かれるほど須田光圀《みつくに》という男は突飛なイキモノだと認識されている。

須田は報道記者からの取材を基本的に断る事が無い。しかしそれと望みの情報を引き出せるかはまた別の話で、終始馬の愛らしさや普段の様子など、知りたい情報とはかけ離れたトークを繰り返すことも多い。

曰《いわ》く、話したいことを話すとああなる、との事で、取材を受けていただいている取材記者はありがたくその話を聞くべきなのだと。懐に入るところまでは認めてやってるんだから、あとはそっちが何とか聞き出してみろよ、プロなんだろ、というスタンス。

しかし情報を出し渋っているのかと言えばそうではなく、必要最低限のところはきっちり提示するのもまた須田光圀という男の頓狂なところ。

その日も唐突に話は始まった。

「ああそうそう。ダイスケの次走なんだけどね、有馬記念になったから」

「は？」

それまで日本競馬事情と海外競馬事情について質問していた中に、突然ぶち込まれた話題だった。当然取材記者はついていけず頭が真っ白になる。

それには構わず、須田は続ける。

「オーナーは説得済みでね。変則系だけど、ダイスケとマルッコ君でうちからは二頭出しって感じになるのかな？」

「あ、え？　いや、その、ダイスケというのは、あの、ダイランドウのことで？」

「そうだよ。ダイスケって人間が有馬記念を走れるわけないじゃない」

「あの、ですがダイランドウ号は春のクラシックから短距離に転向していましたよね？」

「別に馬が２５００m程度の距離を走れないわけじゃないでしょう。馬から言わせりゃ２４００mだろうが３０００mだろうが短距離だよ。中山の右回りだって皐月《さつき》や弥生で経験しているし、問題ないね。今となってはクラシック走っておいてよかったとすら思うよ」

「え、えぇ……？」

「俺は勝つ気マンマンだよ。オーナーもノリノリだしね。それにね、俺は思うんだよ。年末のドリームレースって言っといて、昨今じゃ勝てないと見るやすぐ回避じゃん。昔はマイルの馬だって有馬にガンガン使ってたよ。他に、例えば香港とかドバイにも優秀なレースプログラムは出来たけどさぁ、やっぱ日本で一番決めた方が盛り上がるじゃん。

ダイランドウは強いよ。秋に古馬と戦わせて改めて思ったけど、こいつはすげぇ物もってるよ。日本の競馬と海外の競馬事情って話だったよな。日本でも海外でもスペシャリストが得意の距離走って強いのなんか当たり前じゃん。なら、そこから違う距離に、違う物に挑戦してこそ明日の競馬が、延《ひ》いては日本の競馬が盛り上がるんじゃないのか。

だってあのダイスケが有馬に出走だぞ？　あんた、そんなの面白いに決まっているぜ」

いつの間にやら持論を展開していた須田に記者はなんとか取り付いて取材の体を取り繕った。

とにもかくにも、安田記念二着、スプリンターズＳ一着、マイルＣＳ一着。稀代《きたい》の短距離暴走馬ダイランドウの有馬記念参戦その第一報は、このような形で世にもたらされた。

短距離三歳王ダイランドウ、有馬記念参戦！

「えっ、ダイスケを有馬に使うんですか？」

おうよ。と自信有り気に頷く須田に小箕灘は口をあんぐり開けて驚かされた。

師走も中旬。時折襲い掛かる猛烈な寒気が、冬の寒さを無理やり思い出させにかかっている。外仕事を終えた小箕灘がストーブの点《つ》いた事務所へ戻ってきてみれば、須田からダイランドウの有馬記念参戦を伝えられたのだ。

「あいつに有馬は長くないかい須田さん」

「俺の見立てじゃイケるね。ダイスケは夏頃から、つーかマルッコ君と併せてから息の入れ方っつーもんを覚えてくれてねぇ。中山は知らない道じゃない。十分チャンスあると見るね」

傍らの大河原《おおがわら》を見やる。目を見開いて驚いている。どうやらこの様子では聞かされていないらしい。

「センセイ！　ダイスケを有馬にってどういうことですか!?」

「今言ったとおりだよ。別にいいじゃん。どうせ冬の間はレースないんだし」

「え、いや、え、いや、え？　いやそうかも知れませんけど、逆に無理でしょ！」

頭が混乱《バグ》った大河原の言を普通に無理だろと内心訂正しつつ小箕灘も同意する。

「オグリだって本質的にはマイルの馬だったのに有馬に勝ったじゃねえか。ダイスケが有馬勝ったっておかしくねぇだろ。同じマイルＣＳ勝ち馬だぞ」

「え、えぇ……？　それは無理やりすぎやしませんか？　ダイスケはどちらかといえばスプリンターよりの馬だと思うんですが」

「ガワラよぉ。ダイスケがそう言ったってのかよ」

「そりゃ言いませんよ馬ですから」

「じゃあイケるんだよ。それに調子も悪くねぇ。今日だってマルッコ君と元気に駆けっこしてたじゃねぇか」

仲良し二頭は今日の予定《キャンター》を芝コースで終えている。加減というものを覚えた両雄は程ほどにじゃれあいながらトラックを駆けた。以前から比べれば、確かにそういう様子を見て成長したと言えなくもない。それにしたって思い切ったな、と小箕灘は思わずにいられなかったが。

「とはいえレースじゃどうなるか分からないな。距離の違いはあれど、基本的にマルッコとダイスケは脚質が似てるから、お互い潰しあいなんて事にならなきゃいいが」

「あー、それは不毛だなコミさん。折角二頭出しなんだし、お互いに利益があるように上手くやろうぜ」

「こういう形でも二頭出しになるのかな」

「しらねぇや」

「まぁスタートからビッチリ併せにならなきゃなんとかなるんじゃない。内枠で隣同士とかになると、夏の悪夢が蘇《よみがえ》るわ」

「二頭で暴走、仲良く撃沈なんて笑えねぇもんな」

「案外それで逃げ切れるか？」

「そこまでクエスは甘くはねーだろ」

「いやいや案外ああいう馬って逃げ馬に負けるんだって」

「それいったら今年は後ろからでもキャリオンナイトがいるだろ。あれだってハマれば大したタマだぜ？」

「府中で差し損ねてんだから中山じゃ無理でしょ」

そうした会話は全国津々浦々で競馬ファンが繰り広げる内容となんら変わったところはなかった。

調教師と言えど、競馬は好きだ。競馬が好きだから人生を捧《ささ》げているとも言える。

勝ちに行くのは当たり前。しかし、誰であろうとも、ドリームレースはワクワクするものだ。

今年も有馬がやってくる。

有馬記念 part3

443 名無しさん@競馬板 20NN/12/NN ID:xxxxxi3u0
今年のメンバーは古馬中心にまずまず充実か？

---

446 名無しさん@競馬板 20NN/12/NN ID:xxxxxccl0
ジャパンカップと別路線だといまんとこ
■エリ女から
スピーシーハイ（一着
ワンダースピン（三着
■秋華賞から
コトブキツカサ（桜花賞と二冠
■アルゼンチン共和国杯から
グリムガムジョー
■ステイヤーズＳから
ロバーツ

これにＪＣ組と三歳牡馬組

---

447 名無しさん@競馬板 20NN/12/NN ID:xxxxxvBu0
今年は牝馬が多めか？

---

450 名無しさん@競馬板 20NN/12/NN ID:xxxxxijX0
最終的にどうだかわからんが３頭なら例年並みかね

---

456 名無しさん@競馬板 20NN/12/NN ID:xxxxx/0j0
どっちかというとロバーツが有馬に来たのが意外といえば意外

---

458 名無しさん@競馬板 20NN/12/NN ID:xxxxx1zA0
コトブキが有馬出る←まぁわかる
ワンダースピンが有馬出る←よくわからない

461 名無しさん@競馬板 20NN/12/NN ID:xxxxxyTr0
別にでたってええやろ
ドバイ行けとかそういう話？

462 名無しさん@競馬板 20NN/12/NN ID:xxxxx90X0
出走表明追加
ＪＣ組
クエスフォールヴ◎
サタンマルッコ◎
キャリオンナイト◎
モデラート◎
ヴェルトーチカ△

秋天組
ラスリテイク○
オリジナルランク○
ホーンバンガード◎

三歳牡馬
サタンマルッコ◎
ストームライダー×
スティールソード×

464 名無しさん@競馬板 20NN/12/NN ID:xxxxxKJ30
本音言うとライダーにでてほしかったが、結果見ると香港カップで正解だったな。
5馬身差だぞ。やっぱあの馬つええよ。

477 名無しさん@競馬板 20NN/12/NN ID:xxxxxbkr0

ライダーは本質的に中距離馬だったってことなんかな
そう考えると皐月の圧勝も納得がいく
春の大阪杯とかＳ氏に逆襲あるで

---

483 名無しさん@競馬板 20NN/12/NN ID:xxxxxdmn0
三歳世代の覇者サタンマルッコ……うう～んこの不安感
俺達はこれからこの世代をサタン世代と呼ぶのか

ええやん（中二感

---

489 名無しさん@競馬板 20NN/12/NN ID:xxxxx/jo0
しかしＳ氏もＪＣで底が見えた感じがあった
ああなると負けるみたいなビジョンが出来た

---

499 名無しさん@競馬板 20NN/12/NN ID:xxxxx2uu0
あれクエスフォールヴが楽々差してるように思えるけど時計すげー速いからな
勝ちタイム 2:22.7 だぞ
他の馬ぜんぜんだったじゃねぇか

---

506 名無しさん@競馬板 20NN/12/NN ID:xxxxxdyU0
うっかりキャリオンナイトに差されそうになってたのはちょっと草

---

509 名無しさん@競馬板 20NN/12/NN ID:xxxxx3sQ0
他が潰されてたの見ると世代で抜けてるってのは間違いなかろうぜ
大正義クエスに叩き潰されたけど
てかこいつで勝てない凱旋門ってなんだよほんと

---

515 名無しさん@競馬板 20NN/12/NN ID:xxxxxdyU0
宝塚から比較すればモデラートには差されなくなった訳だしな

ただなんか、正体のしれたパニック物のモンスター的なガッカリ感はある

---

516 名無しさん@競馬板 20NN/12/NN ID:xxxxxbbJ0
これからの馬だろサタンは

---

520 名無しさん@競馬板 20NN/12/NN ID:xxxxxolm0
父系考えたら晩成説あるくらいだしな

---

577 名無しさん@競馬板 20NN/12/NN ID:xxxxxwRr0
【速報】ダイランドウまさかの有馬参戦

---

578 名無しさん@競馬板 20NN/12/NN ID:xxxxxndN0
は？

---

583 名無しさん@競馬板 20NN/12/NN ID:xxxxxwqp0
ソース

---

584 名無しさん@競馬板 20NN/12/NN ID:xxxxxwRr0
ほらよ（URL***）

---

589 名無しさん@競馬板 20NN/12/NN ID:xxxxxffv0
まじだｗｗｗｗｗｗｗｗｗｗｗ

---

597 名無しさん@競馬板 20NN/12/NN ID:xxxxxSdh0
盛ｗｗｗりｗｗｗ上ｗｗｗがｗｗつｗｗてｗｗｗまいりましたｗｗｗｗ

---

600 名無しさん@競馬板 20NN/12/NN ID:xxxxxvce0
まさかすぎるぞｗｗｗ

601 名無しさん@競馬板 20NN/12/NN ID:xxxxx4460
いやむりだろ（真顔

602 名無しさん@競馬板 20NN/12/NN ID:xxxxxErd0
さすが須田っち！　俺達には出来ないことを平然とｒｙ

603 名無しさん@競馬板 20NN/12/NN ID:xxxxxwxd0
さすがにダイランドウに有馬は長いだろｗｗｗｗ

611 名無しさん@競馬板 20NN/12/NN ID:xxxxxg7i0
内枠に入ったら面白いぞこれ

614 名無しさん@競馬板 20NN/12/NN ID:xxxxxfgd0
悲報、有馬記念、ハイペースが宿命付けられる

616 名無しさん@競馬板 20NN/12/NN ID:xxxxx09y0
1000m57秒とかで通過しそう

620 名無しさん@競馬板 20NN/12/NN ID:xxxxxwqz0
サタンマルッコとダイランドウ、安田記念前……うっ頭が

622 名無しさん@競馬板 20NN/12/NN ID:xxxxxja50
あれ結果的にＳ氏だけがガレてダイランドウは元気一杯なのクソ笑う

627 名無しさん@競馬板 20NN/12/NN ID:xxxxxna00
いやおまえ
折り合いつける調教した（キリッ
とかいって２０００でダメやったやろ

628 名無しさん@競馬板 20NN/12/NN ID:xxxxxfgh0

記事曰く春とは比べ物にならない程成長した（ドヤァ　らしいぞ

---

629 名無しさん@競馬板 20NN/12/NN ID:xxxxxkjy0

短距離路線からの有馬参戦は嬉しいけど、コイツは正直どうなんだｗ

ばっちゃばっちゃ。

栗東《りっとう》トレーニングセンタープール調教施設の水面には不気味な三角形が浮かんでいた。しっとり濡《ぬ》れて黄土色に染まったその三角はすぴすぴと音を鳴らし、時折赤い割れ目を覗《のぞ》かせている。

「マルッコ、そろそろ上がるぞ」

「ぶふぉー」

菊花賞馬、サタンマルッコその馬である。

厩務員《きゅうむいん》クニコに連れられ、マルッコは今日もプールでのトレーニングに励んでいた。

栗東の競走馬用水泳設備は一周約50ｍの円形コースだ。

心肺機能の向上、調教のクールダウン、或いは単純に遊びとしてのストレス解消などを目的として選択される調教だが、最大の利点は浮力により地面に足を付けず運動が可能、つまり足元への負担が無い事であり、足を故障した馬のリハビリとして使用されることが多い。トウカイテイオーが骨折後ブランク一年で有馬記念を制した際に使用された調教として有名だ。

「にしても、毎日毎日よくそんだけ泳げるねー丸いの」

施設の監視員の男が呆《あき》れたように言った。

「地元じゃ毎日海を泳いでましたからね」

「どーりで堂に入った泳ぎをすると思ったわ」

「たぶん２００ｍ水泳のレースがあったら世界一ですよ」

「んなもんまず馬用の水泳コースがねーべよ」

「仰《おっしゃ》るとおりで」

スロープを通って陸に上がったマルッコが体を震わして水滴を飛ばす。後でしっかり洗いなおすとしても、水の滴る状態でうろうろする訳にもいかないのでタオルで拭ってやる。マルッコは「世界を縮めたはー」と成し遂げた顔でされるがままだ。

有馬記念はいよいよ週末に……五日後に控えている。そんな中小箕灘陣営より出走するサタンマルッコはトラックでは殆ど走らず、調教の殆どをプールでの水泳でこなしていた。

プール単走三時間。それで身体が作れるのかと当事者以外の見守る誰もが考えていたが、不思議な事に馬体の仕上がりは良好であるように映る。羽賀時代の調教での不真面目さと自主トレでの勤勉さを知るクニコが居なければ成されなかった調教プランではある。

「丸いの、足元悪いんか？」

「いいえ？　ただちょっと有馬に勝つための秘策というか、そんな感じです」

「ほー。そら楽しみにしとくわ。有馬頑張ってな」

「はい。ありがとうございます。それじゃあ今日は戻りますね」

サタンマルッコ故障説。ジャパンカップのゴール後、鞍上《あんじょう》縦川友則《とものり》がすぐに足元を気にして下馬した事、有馬記念へ向けての調教で一切時計を出さなくなった事から囁かれ始めた噂《うわさ》だ。

そんな中であったので、12月21日、有馬記念に対するサタンマルッコの最終追い切りの公開調教には大勢の報道陣が詰め掛けていた。

コースはお約束のEダートコース。6F《ハロン》の軽めの調教が予定されていた。

果たしてサタンマルッコは元気な姿を見せた。滑らかなスタート、回転が速く力強い前脚の掻き込みで向こう正面からコーナーを回り、そして宣言通り終始軽い足取りで記者達の前を横切って終わった。

タイムは6F80・7秒ラスト1F12・4秒。元より追い切りで走るタイプの馬ではなかったが、GIを勝った馬にしては反応に困る数字だった。

「調子？　絶好調とはまた違うけど、いいと思いますよ。ジャパンカップ並みの走りは期待していただいて結構です」

サタンマルッコの調子はどうか？　という質問に対する小箕灘調教師の回答だった。

「サタンマルッコ号は今回中山競馬場で初めてのレースですが、その辺りはどのようにお考えでしょうか」

「特に問題ないでしょう。右回りで言ったら阪神競馬場でやってますしね。それにこの馬のフットワークで走れない競馬場なんてないと思ってます」

「目下一番人気とされるクエスフォールヴですが、勝算はいかがでしょう」

「もちろん出走する以上は勝ちに行きますよ。前回のジャパンカップでは完敗でしたからね。負けたままでは終われません。人馬ともにやる気十分なので、ここで雪辱を果たします」

常にない強気な発言に報道陣がどよめく。

「縦川騎手。本日が最終追い切りでしたが、背中に跨ってみてどのような感触を得られましたか」

「今日は軽めだったので、いつも通りですね。ただ、ここまで三週間、ずっと気持ちが切れずに続いているというのは感じていたので、本番でも良い結果を残せると思っています」

「それは勝利宣言ということでしょうか?」

「いや、僕が強気なことというと負けちゃうので、そこまでではありません」

そう告げた縦川の顔には、確かな自信が浮かんでいるように報道陣には映った。


有馬記念は競馬の祭典としての側面を強く持つ。

世代を越えた名馬が激突するその年の競馬を締めくくるレース。そうした理念の下にあるドリームレースであるからで、これまでも数々のドラマを生み出してきた。

ともあれ、お祭りであるからには。普段のレースでは見ることが出来ない特別な催しがいくつかある。暮れの中山一帯はお祭り騒ぎであるし、中山競馬場はダービーもかくやの出店の数々。

そうした盛り上がりの一つとして近年催されるようになった物。

それがテレビ番組での公開枠順抽選会だ。

▼▼▼

「12月25日。クリスマスに彩りを添える有馬記念の公開枠順抽選会が間もなく始まります。今年で第NN回目となるこの抽選会、今年からはウェブでの同時生中継も行われており、只今《ただいま》、この会場の模様は各種衛星放送、さらにニマニマ動画などでご覧頂いております」

『見てるニキ～ｗｗｗ』『すみかたんぺろぺろ』『大本営発表視聴者100万人』

『うおおおおお』『ようお前ら』『有馬の生中継が見れるとはニマニマも偉くなったもんだ』

画面に流れる文字列の数々。視聴者によるリアルタイムでのコメントが表示されているのだ。その様子は、司会者の傍らに設置されたモニタでも確認する事ができるようになっている。

女性アナウンサーから言葉を引き継ぎ、男性アナウンサーが口を開く。

「今年も出走する〝全〟陣営から調教師、騎手、その他関係者の皆様にお集まりいただく事が出来ました。誠にありがとうございます」

カメラが会場を映す。厳粛な空気の中、600人は詰め込める広大なホールに沢山の競馬関係者、そして壁際には中継の撮影機材やスタッフがずらりと並んでいた。

スクリーンに映像が映し出される。

それは皇帝が、ブライアンが、グラスが、クリスエスが、ハーツが、フリートが、中山の直線ターフを一着で駆け抜けるシーンだ。

「強いものが勝つのか、大駆けが起こるのか、暮れの中山大一番。有馬記念はここから始まります！　第NN回有馬記念、公開枠順抽選会ですッ！」

盛大な拍手と共に開催が宣言された。

『わー』『8888888』『海老名《えびな》激怒』『服ｗｗｗｗ』『おー』『切れんのはええよｗｗ』

『さっきちらっと映ったけどもう切れてた』

「改めまして競馬ファンの皆様。今年はウェブ中継も始まりまして、ウェブを通してご覧になっているファンの皆様も多いことかと思われますが、有馬記念の公開抽選会でございます。もうすでに、沢山のコメントを頂いていて、その盛り上がりたるやまさに競馬の祭典の名を冠するに相応《ふさわ》しいものであるように思います」

「ちょっと盛り上がりすぎてる感もありますよ！　そんな調子だと抽選まで持たないので少しクールダウンしていきましょう」

『はーい』『はーい』『おk』『はいすみかせんせー』『はーい』『うんわかったー』

「今年も全陣営の関係者の方々が一堂に会す有馬記念抽選会。各陣営、くじ引きに対する気合の入りようも一入《ひとしお》でございましょう。特にね、コトブキツカサ陣営の……なんでしょうね、もう絶対にいい枠引いてやるぞ、という意気込みが先程からヒシヒシと感じられましてね、それが会場に伝播《でんぱ》して緊張感に満ち溢《あふ》れておりますね」

『コトブキ海老名』『海老名ァ！』『8枠の男海老名』『海老名8枠』『名前がもう外枠だもんな』

『海老名の服ｗｗｗｗ』『真っ赤なスーツとかなんなのｗ』

「さて、ここでゲストのご紹介です。元中央騎手の岡田《おかだ》順平《じゅんぺい》さんと、競馬中継でもお馴染《なじ》み、今年ようやくダービー予想家になった竹中正平《たけなかしょうへい》さんです。よろしくお願いします」

「よろしくお願いします」

「やぁよろしくお願いしますねぇ」

『ダービー竹中』『皇帝岡田』『岡田爺《じい》また髪薄くなったな』『また髪の話してる……』

「今年もフルゲート16頭の出走馬にて開催されます有馬記念。持ち味を生かすための枠順はそれぞれ異なりますが、それでもねぇ、竹中さん。やっぱり外枠なんかは引きたくないものですか」

「えぇ。有馬記念の外枠なんかはねぇ、もうはっきりデータ出ちゃってますからねぇ。平等にならないのはおかしいっていう意見も御座いますがね、まぁなるモンはなるで仕方ないものですから。今日の関係者の皆さんの顔つき見てくださいよ。レース走る前より緊張してますよ」

「特に、海老名ジョッキーなんかね、警戒色かってくらいすごい色のスーツ着てますよ」

「ん？　あぁ今マイクが海老名騎手に手渡されます」

「あ、どうも海老名外志男《としお》です。でもね、今日は私海老名外志男じゃないんです」

「と、申しますと？」

「このね、何の因果か過去5回この抽選会に参加させて頂きましたが、全部8枠だったという結果を受けましてね。特に前回の抽選会では1枠か8枠かの二択で8枠を引いてしまったという事でね。このたび、今日に限って改名いたしました。

昨日までは外を志す男でトシオでしたが、今日は内を志す男でウシオです。

ラッキカラーは赤。海老名内志男《うしお》です。本日はどうぞよろしくお願いいたします」

『ｗｗｗｗｗｗｗｗｗｗｗｗｗｗｗｗｗｗｗｗｗｗｗｗｗｗ』

『名前ごといったｗｗｗｗｗｗｗｗｗ』

『そこまで気合入ってんのｗｗｗｗｗｗｗｗ』

『8枠海老名』

『ウシオァ！』

　会場も笑いに包まれ、フラッシュが焚《た》かれる。

「凄《すさ》まじい気合を見せていただきました。海老名ジョッキー。

　さぁ、それでは、第ＮＮ回を迎えます有馬記念、出走馬並びに各陣営をご紹介してまいります」

「黄島《きじま》さん、よろしくお願いします」

「はい。それでは出走馬、各陣営、順にご紹介してまいります。

　ファン投票一位。クエスフォールヴ。道行重文《みちゆきしげふみ》調教師。デイヴィッド・ロペス騎手。佐々岡《ささおか》忠《ただし》オーナーです」

『佐々岡だ』『エース佐々岡』『佐々岡ほんとふけねーな』

「ファン投票二位。サタンマルッコ。小箕灘健《すぐる》調教師。縦川友則騎手。中川貞晴《なかがわさだはる》オーナーです」

『オーナー緊張しすぎだろｗｗ』『人間の方のＳ氏』『馬の方がこの場でも落ち着いてそう』

『縦川お前なにわろてんねん』『人間の方のＳ氏死にそうな顔してる』

「続きまして――……」

各陣営の紹介が続く中、気の短いじっとしてられないウェブの住人達は速攻で飽きてそれぞれ競馬談議を始めていた。

『今年の忖度枠《そんたく》はどれかな』『やっぱクエスじゃねえの』『別に逃げ馬でもねーし内枠いらなくね？』

『内がいらないというか外枠じゃなきゃどこでもいい』『難易度低いな』

『先行勢が多いから半端に内側とかだと挟まれてそのまま包まれるかもしれん』

『そういう話始めると1枠も結構ヤバイ』『出の悪い馬だと逆に4枠くらいがいいとかあるしな』

『すまん競馬初心者で枠とか気にするの今回が初めてなんだがなんで内だといいの？』

『たぶん後で司会から解説ある毎年やってるし』

『すげー簡単にいうとスタート直後にコーナーがあって、その上曲がる回数が多いから』

『ふーんじゃあ解説待っとくわ』『おうそうしろ』

『改めて出走馬見ると逃げ馬多いな』『そいつら的には内枠がいいだろうな』

『S氏とかスタートいいし1枠引いたら勝ったようなもんだろ』

『劇場型競走馬サタンマルッコが無難に1枠引くわけないだろいい加減にしろ』

『雪は降らないだろ↓ふった　雨はどうかな↓当日大雨　出遅れんやろ↓出遅れた　何故《なぜ》なのか』

『むしろまた出遅れる説』『忖度民ウキウキ』

……――以上、出走16頭各陣営のご紹介でした」

『お、やっと終わった』『やっと抽選か』『待ってた』

『今年も抽選順→馬番か？』『いつだかのスポーツ選手に引いてもらうやつ結構好きだった』

「有馬記念は中山競馬場、内回り２５００ｍを舞台に繰り広げられます。

この中山２５００ｍ内回り、かなり癖の強いコース設計になっており、スタート直後１５０ｍに最初のコーナー。そこから数えて合計３回コーナーを曲がり最後の直線ゴール前では急激な上り坂が待ち構えるテクニカルなコースとなっています。

大雑把に言って内々を進めた馬の走行距離が２５００ｍとして、外々を回らされる馬は２５２０ｍ程を走る事となります。日本の競馬場では２回曲がるレースが基本とされていますが、この有馬記念では３回曲がるため、コーナーリングでの位置取りが他のレースよりも結果に影響しやすいのです」

スクリーンに投影される中山コースの走路。一般的なオーバルトラックからはみ出した位置からスタートし、すぐさま３コーナー。そこから内側を走る青い矢印とその外を走る赤い矢印がぐるっとトラックを一周して最後の直線までを駆け抜けた。

「当然各馬内々を目指す訳ですが、ここで問題となるのがスタート直後１５０ｍ地点にある最初のコーナー。ここまでの距離が非常に短いため、コーナーの内側に近い内枠の馬がコーナー進入までの距離で大きなアドバンテージを得ます。故に各陣営がこうして気合を入れて有馬記念の枠順抽選会に挑み、我々はそれを面白がっているというわけです。

さてここで、肝心要、抽選方法のご説明にまいります。ステージ中央をご覧ください」

ステージ中央には半球状のボウルに入れられたカプセルが収まった台座が二つ鎮座していた。

「すっかりお馴染みとなりつつありますが、片方のカプセルには出走登録馬の名前が。もう片方のカプセルには馬番号が。手順といたしましては、この後お呼び致しますスペシャルゲストに出走登録馬の名前が入っている方のカプセルを引いていただき、その後各陣営の皆様をステージにお呼びして、馬番号の入ったカプセルを引いていただきます」

『お、いつものやな』『変に疑ったやつはめんどくせーからな』『射的じゃだめなん』

『狙いつける系は忖度が疑われるからNG』

『まあ引く順番くらいは別にいいと思うけどな。実際三年前そういうアレだったしw』

「さあそれでは最初のカプセルを引いていただくゲストをお呼びしたいと思います。

昨年騎手生活を引退したこの方！　竹田幸四郎《たけだこうしろう》さんです！　どうぞー！」

『コウシローwwwwwww』『お前かよwwwwwwwwwww』

『竹田弟wwwwwwwwwww』『コウフォローさんwwwwwwwwwww』

「幸四郎さん、この有馬記念にプロモーターとして参加。どんなお気持ちですか」

「いやぁ、騎手引退した時はまさかこっち側に来る事になろうとは思ってても居なかったんでね。皆さんお前かよって思ってませんでした？　僕だってそう思いますよ」

『エスパー幸四郎』『貴様見ているな』

「うーんこっちから見るといい眺めですね。特にね、竹田豊《兄ちゃん》の命運握ってるのかと思うとこう、ワクワクしますね！」

「大変お兄さん想《おも》いな幸四郎さんな訳ですが、さて。それではそろそろ運命のお時間にまいりたいと思います。幸四郎さん、ステージの中央へ。

さて、ここで改めて出走登録馬のご紹介をいたします。すみかさんお願いします」

「はい。ただいまスクリーンにも表示されていますが、こちらは現在五十音順で並んでいます。これらがこの後抽選された馬番ごとに並べ替えられていくことになります。

では出走各馬をご紹介します。

ヴェルトーチカ

オリジナルランク

キャリオンナイト

クエスフォールヴ

グリムガムジョー

グレーターミューズ

コトブキツカサ

サタンマルッコ

スピーシーハイ

ダイランドウ

ボーンバンガード

マネルハネルミノル

モデラート
ラスリテイク
ロバーツ
ワンダースピン
以上の16頭でもって有馬記念の出場馬でございます」

『緊張してきた』『S氏1枠引いたら全財産ぶっこむ』『実際1枠引いたらサタン負ける要素なくね』『パンツ突っ込む』『突っ込まれるのはパンツの中なんだよなぁ』『くさい』

『すみかたん可愛《かわい》い』『マルッコ君のほうが可愛い』『お写奴』

「絶好枠1枠を引くのはどの陣営か！　それでは幸四郎さん。一次抽選をお願いいたします！」

『引くぞ』『こういうくじって先と後どっちがいいんかね』

『さんすうニキおしえて』

『俺は後。理由は席替えでクラスの好きな子の隣になったから』

『すきあらば自分語り』『どうせその子泣いて再抽選だろ』

『確率的には同じだが、相手に決められるのと自分で決められるのの差があるわなｗ』

「はい……キャリオンナイトです！」

「でましたキャリオンナイト！　それではキャリオンナイト陣営の皆様ステージへお越しください」

——キャリオンナイト。炸裂《さくれつ》する豪脚で世代を賑《にぎ》わせた六歳馬。あわやと思わせたジャパンカップの再現なるか!?

『お、キャリオンか』『こいつは後ろからだから枠とかどうでもよさそうだが』

『出が悪いから内側すぎるのも考え物だな』

「さて、くじを引くのは和田泉《わだいずみ》調教師か、八源太《はちげんた》騎手か」

「あ、八騎手が引くようですね」

「八騎手。トップバッターですが今のお気持ちは」

「あう、き、緊張しています」

「16番、全て空いていますが、狙う枠は、何番でしょうか」

「えと、あの、この馬、は、出があまりよくありませんから、包まれないような枠がいいです。はい」

『八君有馬初騎乗か』『というかGIもこの間のジャパンカップが初騎乗』

『もじもじしてムカツクが自分が二十二の時もこんなもんだったわ』

『普通に緊張するだろこんなんｗｗ』『緊張しててもくじは引けるべ』

「それではどうぞ！」

ごそごそとカプセルを掻き混ぜて一つを取り出した八。

「…………ひっ」

「あーッ！　16番ッ！　キャリオンナイト16番ーッ！」

『しろめをむいたはちげんたぁーッ！』『ｗｗｗｗｗｗｗｗｗ』『16分の1引くくじ引きの天才ｗ

ｗｗｗｗｗｗｗｗｗｗｗｗｗｗｗｗｗｗｗｗｗｗｗｗｗ』『才能才能＆才能ｗｗｗｗｗｗｗｗｗｗｗｗｗｗｗｗｗｗ』

『これは一生の思い出ｗｗｗｗｗｗｗｗｗｗｗ』『海老名の後継現るｗｗｗｗｗｗｗｗｗｗｗｗｗｗｗ』

「テーブル席で待つ各陣営もこれにはニッコリ。特に海老名騎手の笑顔が眩《まぶ》しい！」

「これで8枠が一つ減りましたもんね」

『そういう時に仕事をするのが海老名という男だ』

『トシオじゃだめだがウシオとなった海老名は無敵だ』『まだ引いてすらいないのにｗ』

「さあまさかの立ち上がりとなりましたが、続いて参りましょう。幸四郎さん、お願いします！」

「はい……次は、この馬です！」

「サタンマルッコ！　サタンマルッコの文字！　陣営の皆様ステージまでお越しください」

『Ｓ氏キターー！』『サタンきた』『劇場型の本領みせてくれ』

『ここで15番埋めて海老名を助けて』

『テーブルで待ってるオーナーが緊張しすぎて顔白いんだが大丈夫なのか』

『いいか内だぞ内、いらんことするなよ内でいいからな絶対内だぞフリじゃねえぞ』

『ノルマは3枠以内1枠で確勝』

「サタンマルッコ陣営にお越しいただきました。さて、引くのは小箕灘調教師か、縦川騎手どちらでしょうか」

「んーやっぱパセンセイ引きませんか？」

「え？　いや縦川さん引くって話にしてただろ」

「オーナーの奥さんがなんかその方がいいって仰ってたので」

「あーじゃあ、引きます」

「おっと謎の信頼感があるオーナー中川氏の夫人。小箕灘調教師、狙うはずばりどの番号でしょうか」

「外じゃなければ、といったところなんですが、まあ外なら外でマルッコと縦川さんがダービーの時みたいに何とかしてくれると信じます」

「いやぁ、有馬はちょっときついかなぁ……」

「と、縦川騎手も苦い表情ですが、それでは引いていただきましょう。どうぞ！」

くじに手を突っ込む小箕灘。無造作に掴んだカプセルを開く。


「……1番ッ！　逃げ馬サタンマルッコ1枠1番の絶好枠！」


『勝ったwwwwwwwwwwwww通帳とってくるwwwwwwwwwwwww』

『勝ったわwwwwwwwwwwwwwww』『金かりてくるわwwwwwwwwwwwwww』

『サタンマルッコ銀行開店ーーーーー！』『気分いいから今日は焼肉いこ前祝いだ』

『ツェwwwwwwwwwwwww』『勝利確定wwwwwwwwwwwwwwww』

『予言者中川夫人wwwwwwwww』

『考えておくか、払戻金の使い道……！』『このざまでPSプロぽちったわ』

『法則不発ｗｗｗｗｗｗｗｗｗｗｗｗｗ』『やっぱいくらなんでも毎度なんかやらかすわけねーべ』

「いや、凄《すご》いところを引き当てました小箕灘調教師。むしろ中川夫人の慧眼《けいがん》ズバリといったところなのでしょうか」

「あ、センセイ、オーナーが喜びすぎて気絶してますよ」

『S氏ｗｗｗｗｗｗｗｗｗｗ』『人間の方のｗｗｗｗｗｗｗｗｗ』

『完全にアヘ顔ダブルピース』『ほぼいきかけてる』『いやこれ意識いってますわ』

「絶好枠を摑み取り、本番へ向けて弾みをつけましたサタンマルッコ！　それでは次の抽選へ行きます。幸四郎さんお願いします」

『いやーこりゃサタン勝ったな』

『どうせ5～6枠とか微妙なとこだろうと思ってたけど1枠サタンはさすがに逆らえない』

『府中ならともかく中山なら負ける要素ねえだろこんなんｗ』

「ダイランドウです！　陣営の皆様ステージへおあがりください」

『ダイランドウか』

「須田調教師としてはどの番号を希望しますか」

「ンーそうだなぁ、内側が良かったけど、マルッコ君が1番に入ったからそこは少し離れたいね」

「立場上は同厩舎となっている馬ですが、それはまたどういった理由からでしょうか」

「ダイランドウとマルッコ君は普段から仲がいいんですがね、競走するとなるといいますか張り合うようなところがあってね。それがレースだとどうでるか分からないもんで。まあ最悪25

００ｍ逃げ切ればいいんでどこでもいいはいいんですけどね」

『さすが須田っちいうことが潔い』『さすすだ』『さすっち』

『今思い出したがサタンマルッコとダイランドウって安田の前に放馬した事あったな』

『張り合うってそういう』『いうてあと14枠あんだからそんな近いとこあたらないだろ』

「引くのはどちらが……？」

「そらもう国分寺《こくぶんじ》騎手ですよ。頼んだよ」

「アッ、ハイ」

『アッ、ハイ』

『国分寺なんなのその返事ｗｗ』『面からは窺《うかが》えないが実は緊張している説』『国分寺メカ説』

「国分寺騎手がカプセルを取り出し、中から番号が書かれた紙を……！

　１枠２番！　１枠２番にダイランドウが入りました！」

『おっ、ええやんダイランドウ』

『走りきれるかどうかはおいとくとして逃げ馬にいいとこ引いたな』

『ええやん』『あるんじゃね？』『隣サタンだけどいいのか』『隣Ｓ氏だぞｗｗ』

『ダイランドウもスタートいいからな。スタートから併せ馬みたいなことになるのでは』

「いやーやっちまったな恭介《きようすけ》まあ本番なんとかしてくれ」

「いや、あの、え……う……あの、引きなおしたい、んですけど……」

「皆さんそう思ってくじを引くんですねぇ。それでは席にお戻りください」

『須田ｗｗｗｗｗｗｗｗｗ』『須田の反応からするとこれは結構ヤバイやつかｗｗｗｗ』

『国分寺涙目ｗｗｗｗｗｗｗｗ』『オロオロ寺ｗｗｗｗｗｗｗｗｗｗ』

『劇場型競走馬サタンマルッコは健在だった』

『かぁーっ上げて落とすタイプだったかぁーっ！　俺もなーっ！』

『てことはなに、サタンかダイランドウはどっちか下げて競馬すんの？』

『内枠なのに？』『じゃあもう2頭で逃げろよ』『なんかやな予感してきた』

『いやさすがにレースでそんな引っかかるようにはならんだろ』

『ダイランドウの大乱闘がまたみれるんです？』

『金借りるのやめるわ』『PSプロキャンセルした』『焼肉やめてカップ麺にするわ寒いし』

『(なんとかなる)　はずだった…………』

「さて、続いては――……

……――クエスフォールヴ4枠7番！」


『クエス7番か』『まあいんじゃね。内に入ると乱闘に巻き込まれる可能性あるし』

『つーか内枠二頭が前に吹っ飛んでいくから後ろの馬が二番手集団先頭で楽に競馬できる説』

『十分勝負できる枠だろ』

「続きましては……コトブキツカサ！」

「ついにやってまいりましたコトブキツカサ海老名とし……ウシオ！　コトブキツカサ陣営はステージまでお越しください」

『山場きたｗｗｗ』『海老名さん、8枠空いてますよ』

『残り6枠で2、4、5、6、7、8枠に空きか』『とても8枠引きそうな流れ』

「さて、海老名さん。ついに来てしまいましたね」

「感無量です」

『いやそのコメントはおかしい』『なにが感無量だよｗ』

「当然くじを引くのは？」

「あ、私が引きます」

「海老名騎手と。オーナーさんサイドは凄い嫌そうな顔をしていますけれども、それではどうぞ、引いてください」

コンセントレーションを高めて勢いよくくじに手を突っ込む海老名。摑み取ったカプセルを高々と突き上げそのまま中身を取り出す。

そしてゆっくりと中の紙を広げて行き――


アッ、シャオラアアアアアァァッ！！！！！

「雄たけびを上げた海老名ァ！　摑み取った番号は7枠14番ッ！　江田《えだ》調教師苦笑いッ！」

「でも海老名騎手、ようやく8枠の呪いから解放されて嬉《うれ》しそうです」

『すげーこえでてたぞｗｗｗｗｗｗｗｗｗ』『ｗｗｗｗｗｗｗｗｗｗｗｗｗｗｗｗｗｗ』

『海老名ｗｗｗｗｗｗｗｗｗｗｗ』『これは名手海老名ウシオｗｗｗｗｗｗｗｗｗｗｗｗ』

『改名効果あったｗｗｗｗｗｗｗ』『7枠で喜ぶ奴《やつ》はじめてみたぞ』

『調教師苦笑いで草』『すまん今年一番爆笑した』『7枠を取る海老名くんUCはよ』

「さて、抽選会はまだまだ続きます。幸四郎さんお願いします——……

▲▲▲

抽選会翌日。新聞各紙にて有馬記念の枠順が掲載された。

1－①サタンマルッコ
1－②ダイランドウ
2－③グリムガムジョー
2－④ラスリテイク
3－⑤スピーシーハイ
3－⑥オリジナルランク
4－⑦クエスフォールヴ

4－⑧モデラート
5－⑨マネルハネルミノル
5－⑩ボーンバンガード
6－⑪ヴェルトーチカ
6－⑫ワンダースピン
7－⑬ロバーツ
7－⑭コトブキツカサ
8－⑮グレーターミューズ
8－⑯キャリオンナイト

決戦の日は近い。


中山競馬場は大多数が想像する賭場としての競馬場そのものの場所だ。

他の競馬場と比べて野次が多いし内容も下品であることが多い。そんな彼ら彼女らが障害レースの時だけは飛越の成功に拍手するのだから面白い。

汚さ、煩《うるさ》さはあるが、同じだけ競馬に熱く本気になる場所。中山はそんな場所だ。

有馬記念の日の中山競馬場一帯は競馬場を目指す客が地域を練り歩くため大変な騒ぎになる。

キャパシティを軽々と越える人数が当然のように訪れるので、まずそれで混乱する。

次に中山競馬場そのものの施設。これは東京競馬場よりも全体的に狭い。特にスタンド前の広さに大きな差がある。

ダービーデーの東京競馬場は控えめに言って地獄のような人口密度となるが、それと同等の人数がより狭い中山競馬場へ押しかければどうなるか。想像に難くないだろう。

それでも生観戦に訪れる人間が毎年10万人以上は現れるあたり、どれだけ混み合おうとも、それらの苦痛を上回るお祭り感、ライブ感が得られるのだろう。馬券を買ってレースを見たいだけならば場外馬券発売所での観戦やテレビ観戦した方が良いというのは、現地に行った人間と行かなかった人間共通の認識だ。

そんな中山競馬場のパドックに、日本競馬、並びに世界の競馬を戦い抜いた16頭が集まる。

儲《もう》けたい。今日こそは。頑張ってほしい。可愛い。いい所を見せたい。負かしてほしい。様々な情念渦巻く中、万の視線をその身に受けて優駿《ゆうしゅん》達はパドックを周回していた。


『……――といったところでパドックの紹介を終わります。スタジオにお返しいたします』

「はい。ということでパドックの様子を黄島さんにお伝えいただきましたが、竹中さん。どうでしたかご覧になっていて」

「えぇ。今年の有馬はどの馬も気合が入っていていてイイですねぇ。出走各馬ね、十分に勝つ気のある仕上がり方をしていましたよ。回ってくるだけというかねぇ、そういう記念参加めいた馬は見受けられませんでした。熱い戦いになりますよこれは」

「ではそんな出走馬の中から、まぁまだホープフルステークスは御座いますが、年内の竹中さんのパドック解説は今日で最後ということですのでね。今年一年間最後のパドックまとめをお願いいたします」

「はい、じゃあちょっと今日は気合を入れていきましょうかねぇ。

まずね、これまでも新聞雑誌やテレビ番組なんかでも散々話題にされていましたけどね、有馬記念の大まかな展開。ここからお話ししましょうか。

今年の有馬記念の予想の軸は、サタンマルッコがどこまで逃げるのか、そしてその馬を差すとするならば誰なのか。このね、二点が論点となっていますねぇ。

サタンマルッコはダービー制覇後、体調不良の宝塚記念を除けばジャパンカップまでは後ろから差しきられた事が無い訳でしてね、これはまぁそれだけで大変凄い事なのですけれども。

だってつまりこの馬が走るレースはこの馬が作るペースよりも速いタイムでゴールしなくちゃいけない訳ですので。直線勝負だけの馬では絶対に勝てない、ということですねぇ。

じゃあどんな馬が差し切れるのか、と申しますと、これはまず単純に絶対的なスピードとスタミナの総合力が高い馬。ハイペースの道中でも射程圏内に捉えておいて、そこからしっかり終《しま》いの脚を使っていけるクエスフォールヴのような馬ですね。こういった馬。

或いは切れる足は無いけれども、ハイペースでもいい脚を長く使えるタイプ。これはオリジナルランクなんかがそうですね。いつでもどこでも脚を余して惜敗していますから。逆に言うと今回はハイペース必至ですのでねぇ、チャンスが増えますよ。

そして最後に挙がるのがサタンマルッコよりも先行できる馬。これは非常に考え難い要素なのですが、今回はダイランドウというスプリンターが居ますのでねぇ、道中で先を譲る展開もあるかもしれません。別距離を走っていた同型のダイランドウのような馬が最後まで持った場合、これもサタンマルッコが敗れるパターンですねぇ。

それらを踏まえて予想を立てるのですがねぇ、これがまた難しい！」

「竹中さん、そういいつつも嬉しそうですね」

「予想家冥利に尽きますよ本当にねぇ。馬券ファンの皆さんも今年の有馬は予想が楽しかったのではないですかねぇ？　やっぱりね、強い逃げ馬がいると競馬は盛り上がりますよ。

さてそういう中でどう予想を立てるか。

まずサタンマルッコ。1枠①番の絶好枠でスタートさえ失敗しなければ完璧な枠。望みどおりの展開へ持ち込む事が出来ると思われますが、懸念点はやはり隣の②番ダイランドウとの先頭争いでしょうねぇ。

しかし私はね、これに関しては問題ないと判断していますよ」

「ほう、それはまたどういった理由ででしょうか」

「サタンマルッコのね、ここまでの中間。時計も出さずになんとも不気味でしょう。怪我してるんじゃないかなんて噂になったくらいですので。こういう時のねぇこの馬は怖いですよ。ダービーの前なんかも似たような感じだったのでね。我々の懸念や不安材料なんか吹き飛ばしてくれるんじゃないかと。具体的要素は無いのですが、そういう期待感からですね」

「私の愛馬はやれるんだ！　というご主張ですね」

「ははは、まあ贔屓《ひいき》が入ってしまいますがそういう事ですね。有馬記念だし許してくださいよ。

それじゃあ次にいって……。

次に⑦番クエスフォールヴ。枠順は可も無く不可も無くでしょうねぇ。

前二頭が後続を引き離す形での道中となるでしょうから。枠順的にも前目の競馬で進めればいつもの流れに持ち込めるのではないでしょうか。

危険な流れは外から被《かぶ》せられる場合ですが、その場合は一旦下げて外から抜きなおすくらいしそうですねぇ。それをやっても十分足りる実力であるので、軸や本命にするならこの馬、という評価に落ち着きそうです。

それから今日のパドックで一際輝いていたのが⑭番のコトブキツカサですかねぇ。

このお馬さん、秋華賞を勝った後は有馬記念を目標に仕上げてきているのでね。時間があった分ピカピカの凄い身体つきしていますよ。海老名騎手も念願の8枠以外を手に入れたってことでね、縁起もよろしいこの馬にも注目しておきたいですねぇ」

「はい、ありがとうございました。現在のところ単勝一番人気はクエスフォールヴ2・3倍。二番人気サタンマルッコ4・3倍。三番人気モデラート7・1倍。こうした中で竹中さんのコメントはどうなるのか。

そういったところも含めて有馬記念、間もなく本馬場入場。実況はラジオNK河本《こうもと》哲也《てつや》さんです」

◆

《今年はクリスマスと重なりました有馬記念。

中山競馬場には既に13万人のお客さんが詰め掛け、今年一年の競馬を締めくくる戦いを今か今かと待ち望んでおります。

春。世代を制したクエスフォールヴ。そしてクエスフォールヴが海外遠征へ旅立つ中、国内で存在感を発揮したモデラート。羽賀競馬出身でありながら日本ダービーを制した稀代の怪馬サタンマルッコ。樫《かし》の女王を退け、二冠に輝いたコトブキツカサ。二年連続の戴冠となった女王スピーシーハイ。誰もが驚く短距離路線からの有馬参戦ダイランドウ。

魅力的な各馬が集まりました今年の有馬記念。

それでは、出走16頭、本馬場入場とご紹介に移ってまいります。

強敵を打ち倒したダービー。

実力を示した菊花賞。

もはや疑う余地は無し。実力十分。気炎万丈。

栗毛《くりげ》の馬体が怪しく揺らめく。
額の星に情念乗せて。
なるか逆襲。西から来た丸《アイツ》。
1枠①番サタンマルッコ、縦川友則！

まさかまさかの有馬参戦。
皐月で見せた大暴走。
見せたスケール誰より大きく。
距離を制した大乱童。
1枠②番ダイランドウ、国分寺恭介！

雌伏の時は長くとも、咲かせた花は誰より大きく。
アッといわせたアルゼンチン共和国杯。
二度目が無いとは言わせない。
2枠③番グリムガムジョー、本田《ほんだ》義弘《よしひろ》！
コース巧者と言えばやはりこの馬。
勝《か》ち鞍《くら》四戦全て中山。ついに手に入れたるは有馬の好枠。

やり直しは必要ない。今年がラストラン！
2枠④番ラスリテイク、海馬英俊《かいばひでとし》！

守り抜いた女王の座。
楽な戦いは一つもなかった。
流した汗が頭上の冠を輝かせる。
女王のティアラは輝きを増して。
3枠⑤番スピーシーハイ、川澄翼《かわすみつばさ》！

惜敗惜敗また惜敗。
迫りはすれども勝てはせず。
流した冷や汗数知れず。
誰よりも自由に。
3枠⑥番オリジナルランク、アンドリュー・クワセント！

日本の悲願を背に載せ駆けた凱旋門。
開けた視界に夢を見た、夢幻に消えた戴冠の道筋。
消えずに残った実力携え、違いを見せたジャパンカップ。

国内最強文句なし。日本が誇る世界の翼。
4枠⑦番クエスフォールヴ、デイヴィッド・ロペス！

世代王者を奪取され、苦汁を飲んだ春一番。
不在の間の存在証明。その結晶はこの日のために。
嵐を呼ぶ男を背に乗せて、暮れの中山一本勝負。
中庸と呼ぶには速すぎる。
4枠⑧番モデラート、竹田豊《ゆたか》！

今年もこの日がやってきた。
今年もお前に会いに来た。
三年連続出場。三年お馴染み。
5枠⑨番マネルハネルミノル、熊田《くまだ》敏也《としや》！

鞍上福岡祐一《ふくおかゆういち》は誕生日。
スペシャルバースデーを自ら祝えるか。
今日は勝利を奪いに来た。
5枠⑩番ボーンバンガード、福岡祐一！

逆襲の元女王。
並み居る男を掻き分けて、狙うは栄冠唯《ただ》一つ。
女帝未《いま》だ健在。
6枠⑪番ヴェルトーチカ、後藤正輝《ごとうまさき》！

男勝りの勇み足。
年上相手も一歩も引かず。
捩《ねじ》れた根性一本通して、咲かせて見せるは女道。
6枠⑫番ワンダースピン、池園勇美《いけぞのいさみ》！

名優の仔《こ》もまた名優。
長距離の覇者が有馬記念に初参戦。
いぶし銀の名手をその背に乗せて。
7枠⑬番ロバーツ、イデラート・ホックマン！

さあ拍手と笑いに迎えられて！
今年は橙色《だいだいいろ》の帽子を被って！

ついに引き当てた念願の7枠！
二冠の少女をエスコート。
お前の帽子は何色だ！
7枠⑭番コトブキツカサ、海老名外志男！

中山巧者と呼ぶのなら、この馬、この人もまたそうなのでしょう。
馬混み急カーブもなんのその。
華麗なステップは六歳になっても衰えず。
今年も有馬にやってきた！
8枠⑮番グレーターミューズ、大平《おおだいら》 健一《けんいち》！

さあこちらも拍手と笑いに迎えられて。
一生物の思い出となりそうだった抽選会。
有馬記念初騎乗の俊英、八源太騎手。
夜を切り裂く僚馬と友に、ジャパンカップの再来なるか。
8枠⑯番キャリオンナイト、八源太！

以上、第NN回有馬記念出走16頭のご紹介でした》

◆

有馬記念のスタンドを遠くに見る発走地点が縦川は好きだった。

響くファンファーレと手拍子をスタートゲート前で輪乗りしながらどこか遠くで聴いている。もう間もなく枠入りが始まり、そしてレースが始まる。

ふいに、手元に収まる乗馬鞭《むち》が気になった。

(鞭を使うな、一番最初に言われたな)

マルッコに乗るようになってから、全く使わなくなった仕事道具。

鞭を振るわない事、それは築き上げた信頼の証《あかし》であり、縦川自身の己《おの》が騎乗技術に対する誇りでもあった。

もし乗り始めの頃に使っていたら落とされていただろう。そういう馬だ。気性はよく知っている。それが今では口にせずとも繋《つな》がっている間柄。まさに戦友とも呼べる仲になった。これだけ深い絆《きずな》を結んだ馬は多くなかった。

いよいよ枠入りが始まる。1枠①番の枠入りは一番最初。枠の中に居る時間が最も長いためそれを嫌う陣営もある程だ。

「調子はどうだいマルッコくん」

短くて長い待機時間中、縦川はゲートに収まった相棒に声をかけた。

相棒は、愚問だ、と言わんばかりに鼻息で応える。

相変わらず分かったような反応をする馬だ、と口元に笑みを浮かべた。

相手は強い。だが、果たして絶対に勝てないというほど強いだろうか？

絶対の皇帝の子供が帝王で、その娘とフウジンの間に生まれた生き残りの娘。それを見初めた暴君との間に生まれた、この魔王。血統書を読み解けばそんな筋書きが思い浮かぶ。

「悪いことするのは魔王の特権らしいからな」

せいぜい首を洗って待っていろ、一番人気《クエスフォールヴ》。

◆

《……——さあいよいよ、いよいよ、今年の有馬記念が始まろうとしています。出走16馬のドリームホースたちが繰り広げる激闘。しかとその目に焼き付けましょう！

最後、⑯番キャリオンナイトがゲートに収まりました！

第NN回有馬記念…………スターァトしましたぁ！

さあまず何がいく、俺が行くと①番サタンマルッコと②番ダイランドウがあっと言う間に3コーナーへ飛び込んでいく！

他は出遅れなどもなく順調に出たようです！

先行争い①番サタンマルッコ②番ダイランドウ身体半分ダイランドウが前に出て一周目の直線に身体が向きます。

ダイランドウはやる気十分。諦めすら感じさせる鞍上国分寺騎手の長手綱！　今日も元気に行きっぱなしでかぁなりぃ飛ばしております！

2馬身ほど切れて①番サタンマルッコ。さあ折り合いはどうだ。なんだか上手く行っているように見えるぞ？　サタンマルッコ、ダイランドウとは競り合わず落ち着いている。今のところは上手く行っているのではないでしょうか。さあそこのところはどうなのか縦川友則。


先頭が直線の坂に差し掛かろうとしています。

サタンマルッコから離れて5、6馬身に③番グリムガムジョー。おっと位置を上げて直線で①番サタンマルッコに並びかける構え。

その後ろ内に入れたのは④番ラスリテイク、それから⑦番クエスフォールヴがこの位置。前目に三番手集団の先頭を併走、遮るもののない良い位置に入りましたクエスフォールヴ。

外から⑫番ワンダースピンさらには⑧番モデラートなどが追走、⑬番ロバーツが内にいて⑭番コトブキツカサ、⑤番スピーシーハイと続いて最内⑥番オリジナルランク包まれていますが今日は落ち着いて見えます。切れて1馬身⑮番グレーターミューズ、最後方⑯番キャリオンナイトが内ラチ沿いを走って正面スタンド前を通過していきます。

スタンドからは割れんばかりの大きな拍手が送られます中山競馬場。

今1コーナーにダイランドウが入ったところで1000m通過が57秒3。57秒3!? 速い! 過去最速の通過タイムなのではないかと疑うばかりのタイム!

猛烈な勢いでダイランドウが1000m通過!

これで2500m走りきる事が出来るのかダイランドウ!

あれよあれよと後続を引き離し、二番手集団を7、8馬身程離しているぞ!

その二番手集団もかなり速い! 内に①番サタンマルッコ、外に並びかけて③番グリムガムジョーだがグリムガムジョーはどうだ、鞍上本田騎手は手綱を抑えているが行きたがっているようにも見える。折り合いが怪しい!

そこから切れて5馬身内に④番ラスリテイク、⑦番クエスフォールヴがやや下げて追走、2コーナーの終わり際、外の⑫番ワンダースピン、⑧番モデラートら後続が一気に位置を上げ始めている。後ろでは届かないと見るや竹田騎手が位置を上げたか。

向こう正面に各馬流れてゆきます。

さあ後続が早くもペースを上げてきた。⑭番コトブキツカサ、⑪番ヴェルトーチカ、それらを追うように⑩番ボーンバンガードと⑨番マネルハネルミノルも差をつめにかかる。先頭ダイランドウとはまだ10馬身以上差がある!

それらを見る形で内ラチ沿い⑬番ロバーツ、一つ切れて⑥番オリジナルランク、並んで⑮番グレーターミューズ、最後方変わらず⑯番キャリオンナイトといった体勢です。

さあ二番手サタンマルッコとグリムガムジョーと後続の差が縮まってきたリードは5馬身。この差をどの辺りで詰めるのかクエスフォールヴ、今残り１０００ｍの標識を、

おぉぉっとぉ！

ここでクエスフォールヴが動いた！

今日も馬なりで行く！

スーッと位置を上げてサタンマルッコに並びかけようかといった動き、だがサタンマルッコもスピードを上げてリードを保っている！

後ろの方からはモデラートがクエスフォールヴの後ろに付いた！

スピードとスタミナの極点！　会場のボルテージは最高にあがってきた！

どよめきを怒号に変えて残り８００ｍの標識を通過、各馬3コーナーへ差し掛かります！

先頭変わらず②番ダイランドウ、気配はどうだまだ残せるのか、少なくともまだ歩いてはいない！

二番手①番のサタンマルッコとの差は7馬身、後続を引き連れていっきに詰めていくサタンマルッコ、③番グリムガムジョーはちょっとついていけないか、入れ替わり⑦番クエスフォールヴがサタンマルッコの後ろ3馬身にピタリとつけている！

４コーナー！　モデラートは外へ出す！　内で⑥番オリジナルランク、⑯番キャリオンナイトが位置を上げた！

さあ中山の急カーブを曲がりきって、第ＮＮ回有馬記念最後の直線に入っていく！

しかしピタリとつけるクエスフォールヴ、デイヴィッド・ロペス！　モデラートも付いてきている！

しかしサタンマルッコがこれを交わした！　サタンマルッコ先頭！

先頭はダイランドウが頑張っている！

外の方ではコトブキツカサが突っ込んでくる！

残り２００ｍ！　サタンマルッコ先頭！

クエスフォールヴ脚色がいい、クエスフォールヴ脚色がいい！

ジャパンカップと同じになるのか！

デイヴィッド右鞭！

交わした！　１馬身！　２馬身！

モデラートは伸びてこない！

サタンマルッコまだ頑張っている！　頑張っている！

後ろの方から馬群を抜けてキャリオンナイトとオリジナルランクが突っ込んでくる！

しかし先頭は抜けた抜けた抜けたクエスフォールヴ！

坂を駆け上がって先頭クエスフォールヴ！　ゴールまであと100m！――……

◆

彼ら全てが道中の駆け引きを理解している訳ではない。

だが、勝負を仕掛けたのだとは誰しもが理解できた。

故に、3コーナーの直前、位置を上げたクエスフォールヴに対して群衆はどよめきで応えた。


はええよ！　がんばれー！　よしいけ！　てめぇそれで負けたら承知しねぇぞ！

いいぞ！　つかまえろ！　それでいい抜いちまえ！　いけー！

あんなに前を走ってる馬に追いつくかもしれない。

あれだけ飛ばしているんだから当然差せるはずだ。

なにをしてるのか分からないけどなんか凄そう。

理由なんか人それぞれで。超満員の観客は各々が反射的な歓声を上げていた。

道中あれだけ縦長だった隊列があんなにも詰まっている。

4コーナーを回った競走馬たちが最後の力を振り絞る。

観衆の声色が再び変わる。

先頭を走っている黒い馬を栗色《くりいろ》の馬が抜き去った。

一番人気といわれていたクエスフォールヴとかいう馬がそれと一緒にあがっていった。その外側にはなんだか分からないけど途中からずっと前に行こうとしていた馬がピッタリくっついてる。

何となく分かったのは今前に居ない馬は勝ち目が薄いということ。

誰かが何かを空に投げた。ひらひら舞うそれは馬券の束。目当ての馬がそこに居なかったに違いない。

させぇぇ！　やれえええ！　竹田ァァァ！

やめろぉ！　そのままぁ！　ああああ！

意味のある言葉もあれば意味の無い叫びもある。

金や見栄《みえ》や名誉や意地。

着飾った若い女が。髪の薄いおじさんが。高い時計を腕に巻いた男が。老人が、連れられた子供が、おばさんが。

出す心算のない声が腹の底から喉を伝って音の波になる。

原始的な興奮と熱狂が10万超の濁流となって緑のターフへ流れ込む。

それは、クエスフォールヴという馬が先頭に立った瞬間、最高潮に達した。

◆

またこの馬かッ！

縦川は別次元の末脚を見せ付ける黒い凶星を左手前に見ながら毒づいた。

あれだけのハイペースで追走させてこの末脚。一体何をどうしろというのか！

懸命に走る己が相棒にはまだ余力がある。だがその余力は加速の鋭さではなく速度の維持だ。サタンマルッコの持つ唯一にして明確な弱点、それは決定的な切れる末脚を持たない事だ。こうして相手に余力が残った状態で突き放されると巻き返しが出来ない。

チクショウ、今年はダメなのか。

諦めかけたその時。かすかな音が耳朶《じだ》に触れた。

――クレ

なんだ、なんだこの音は。

――ムチヲ、クレ

大地を蹴り飛ばす四肢。全力で稼動する心臓の鼓動。燃料を補給すべく大きく膨らむ鼻と胸。
だとすればこの音はなんだというのか。

――ムチヲ、クレ、オレハマダヤレル！

言葉ではない。しかしそれは彼らの間にだけ通じる共通言語だった。

――オレガ、カツ！

熱い鼓動の背中が語る。手綱を通してハミが語る。
負けられない。ただそれだけに命を燃やす。
音にもならない共通言語、それは相棒が求める勝利への渇望。
俺が勝たせて、お前が勝たせろ。
そうか。お前がそう言うのならば！

結論は封印だった。
〝あの〟走りを再現するには今の筋肉では耐え切れない。

それがどうした。
相棒が勝つと言っている。それに応えるお前はどうだ。
縦川は鞭を抜いた。
揺れる視界。開けて望むは坂の頂上ゴール板。
身体を一杯に捻《ひね》った。腕を振り上げて、下ろした。
「勝てマルッコッ！　いったれおらあああああぁぁッ！」
栗毛の魔王が躍動する。

◆

……――クエスフォールヴ先頭！

クエスフォールヴ先頭！　リード2馬身！
後ろは来ない！　届きそうに無い！
大勢決したか！
世界の翼がありまをあぁッ！
うちからもう一度サタンマルッコ！　すごい脚！

なんということだ伸びてきている！

ゴールまであと僅か！
サタンマルッコ追ってくる！

追ってくる！

行く！

迫る！

並ぶか!?

並んだ！

内外二頭ッ！

どっちだ！　差すか！　残すか！

縦川の鞭ッ！　デイヴィッドの腕ッ！

抜けた！　頭一つ！

サタンマルッコだ、

サタンマルッコだ！

サタンマルッコだあああぁぁッ！


差しきったァァァァッ！

サタンマルッコ縦川友則、間違いなく差しきったァッ！

ジャパンカップの雪辱果たす大激闘ッ！　制しましたッ！

鞭を握った右手を上げる縦川友則ィッ！

場内は割れんばかりの大歓声です！

直線残り200ｍで交わされ、一時は完全に大勢決したかに思われましたが、坂の頂上残り70ｍ地点から再びの猛追。２馬身の差を見事に巻き返しましたサタンマルッコ！

もはや疑う余地は無し！　これは本物だ！　一段上の能力を示して見せました！

西から来た魔王、サタンマルッコ！　聖夜の有馬記念で産声を上げましたッ！

二着に敗れはしたものの、クエスフォールヴ。ハイペースに付き合った上での高い位置からのロングスパート。その能力の高さを遺憾なく我々に見せてくれました。

三着は接戦、ビデオ判定が待たれますが――今サテライトビジョンでゴール時のスロー再生が映されております。これは、どうでしょう。⑥番オリジナルランク、⑧番モデラート、⑯番キャリオンナイト、⑭番コトブキツカサ、そして②番ダイランドウが一団となっていますが、三着は……これは⑯番のキャリオンナイトでしょうか。キャリオンナイト優勢であるように見えます。ジャパンカップに続いてキャリオンナイトが健闘か。

2コーナーからサタンマルッコと縦川騎手がスタンドへ戻ってきました。

縦川騎手は笑顔で相棒を称《たた》えます。首をテシテシと、サタンマルッコもくすぐったそうに身を捩《よじ》っています。

さあ今、サタンマルッコが正面スタンドに帰って、

『ヒィィィインッ！』


わあ、勝《か》ち鬨《どき》を上げました！　なんという馬だ！

あれだけの激走をして尚《なお》、褒めてくれと言わんばかりの大音声！

『……ォォイ』

『オオイ』

『……オオォイッ！』

『ヒィィンッ！』

『オオオォォイッ！』

『フィィインッ！』

『オォイッ！』

『ヒイインッ！』

『オォォオオイッ！』

『ヒイイィィィンッ！』

『ドオォイッ！』

……神秘的な、これはある意味神秘的な出来事であるのかもしれません。

今、この瞬間、我々と彼との間に言語が成立しているのです。

或いはこれは、競馬の神様がくれたクリスマスプレゼントなのでしょうか。

第NN回有馬記念。勝ち馬はサタンマルッコ。

この名とこの光景を、我々は深く刻み込む事でしょう》

間章　彼らの見た流星

1

漫然と生きているな。普段から感じていた。

朝起きて、支度して、会社行って、働いて、帰って、飯食って、寝る。

場所を変え、やる事を変えただけで学生のころから何も変わっていないとさえ思う。

創造性のない毎日。やがて変化を嫌う己。楽なほうに身体《からだ》を委ねて日々を漂う。

ある時これではいけないな、と考えた。二十五を過ぎて仕事にも慣れた頃だった。

何かしよう。でも何をしよう。

結局行き着いた先はぱちんこだった。これなら座っているだけでいい。ほどほどに非日常感を与えてくれるし、低換金なら一日居座ってもそれほどお金がかからない。なるほど、大人の遊びというのはこういうことだったのかと妙な感心さえした。

が、割とすぐに飽きた。本質的に座っているだけだし、それだと会社のＰＣ前で座っている平日と何も変わらない。付け加えるなら、休日一日を座る事に費やしているわけで、それでは家にいるのとも変化がなかった。

変えなくては。何かしなくては。

生来生真面目な性質が仇《あだ》となった。気になり始めたら何とかやり遂げなければいけない気がしてくる。

「安達《あだち》君、趣味ないの？　へぇ。俺さぁ最近カメラに凝っててさ」

そんな折、取引先からカメラを勧められた。丁度いいやと安直に飛びつき、道具を一揃《ひとそろ》えする。安くない出費だったが一度買ってしまえば数年は持つ道具だ。毎週末ぱちんこ屋で浪費するよりは良いだろうと割り切った。

そして次の壁にぶち当たる。

何を撮影しよう。

創造的な活動を長らくとっていなかった反動か、脳細胞が被写体を思い浮かべるのにも時間がかかった。

人間。人の相手はちょっときつい。

電車。魅力が分からない。

風景。目的地まで行くのが面倒臭そう。

さりとてせっかくカメラのレンズに収めるのなら非日常的な物が良いと思う。程よく近くて、普段見慣れない物がある場所。

これだと浮かんだ動物園。調べてみるとちょっと遠い。

むぅ、と唸《うな》って頭を捻《ひね》る。

あ、これならいいかも。

程よく近く、普段見慣れない物があり、非日常感のある場所。

競馬場だった。

それから季節が三度めぐり、今でも阪神か京都で開催がある日は競馬場を訪れている。

後のGⅠ馬の新馬戦に立ち会ったこともあれば、誰もがあっと驚く大穴を開けた時に出くわした事もある。競馬をやってれば誰しもが体験する事件の共有。つまりは、普通の競馬ファンになっていた。

違うところと言えば、毎レース出場全馬の写真を記録しており、その画像データが家のPCには几帳面《きちょうめん》に競走馬毎《ごと》でファイリングされていることだろう。

その日は土曜日にも拘《かかわ》らず仕事の予定が入っていた。何とか午前中に切り抜けて、なんとか競馬場に駆け込んだ時には午後の第7レース、三歳未勝利戦のパドックが始まろうかというところだった。

そこで己の失態に気付く。仕事から直行したせいでカメラを持っていなかったのだ。これでは何のために競馬場へ来たのか分からない。

一度取りに帰ってもいいが、7レースのパドックは今にも始まりそうだ。それならここだけ携帯端末のカメラで切り抜けて、その後取りに戻ろう。

そう思いスマートフォンと途中で買った新聞を取り出して、出走馬の登場を待った。

あ、可愛《かわい》い。

出てきた瞬間そう思った。ゼッケン番号は①番。

阪神7Rの①番は、と新聞を指先でなぞって名前を確認する。サタンマルッコ。魔王か悪魔という名前の割には随分可愛い顔した馬だなと思った。

前を通るタイミングで端末のカメラを起動して構える。歩く方向にスライドさせながら……撮影しようとしたところ、馬の姿がセンターからずれた。

あれ？　と思い画面から視線を外して被写体を見る。

その馬は足を止めていた。どころか漆黒のくりくりした瞳がこちらを見ているではないか。

（え？　え？　なんだ？　撮れってこと？）

係員が身体を斜めにするほど引っ張っているのに微動だにしない。

居た堪《たま》れなくなって画面を覗《のぞ》く。慌てた所為《せい》か手がかなりぶれたが、そこは端末側の機能が補佐してまともな写真を撮らせてくれた。

端末を下ろすと、その馬はパカパカと周回を始めた。

一体なんだったんだ。

端末を構えるとさっきの馬がまた足を止めそうだったので、他の馬を撮影する気にはならなかった。

もしかしたら何か有名な馬かもしれない、或《ある》いは話題になっているかもしれない。そう思って競馬掲示板を確認した。

果たしてスレッドはあった。阪神7Rのパドックwwwwwwwwwwww

まあそうだよな。誰でも笑うよな、と冷静に受け止めつつレスを流し見していく。どうやらミドリチャンネルの番組内で自分の姿が映っていたようである。とんだ肖像権の侵害を受けたが、せっかくなので話題も提供しておこう。先程撮影した画像をアップロードした。

ついでにパドックの電光掲示板で①番の単勝オッズを確認しておく。案の定、あまり期待されている馬ではないようだ。

財布の中を見る。万札が二枚と小銭がちょっと。どうせ一度家に帰るし、帰るだけなら電子マネーで電車に乗れる。

「単複1万円の応援馬券でゆるして、っと」

たまにはこういうのもいいか。2万円の馬券は決して安くなかったが、何の気なしに財布からお札を抜き出した。

普段はこんな額で馬券は買わないし、こんな適当に買わない。

あの馬の可愛い顔立ちと、なにか運命のようなもの、そんな不思議な縁がそうさせた。

驚くべきことに、その変な馬は勝った。

払戻金がとんでもない事になり、重ねた万札が財布に全く収まらず始末に苦悩したほどだ。嬉《うれ》しさよりもどうしよう、という気持ちが先立った。こんな大金持ち歩いた事がなかったからだ。結局雑に鞄《かばん》に詰め込んだ。お金は量が増えると物のような扱いになるのだなと一つ学んだ。

その日から、その馬が気になり始めた。

なんとなく、馬券で取った万札は、鞄の中に重ねて差しっぱなしにしていた。お店のレシートでもう少しマシに扱うような粗雑な扱いだったが、重なっていると思いの外紙幣は形を保つようだ。

そうやって鞄の中の万札と、何枚か撮った写真を眺めながら「次はいつ走るんだろうな」と情報を待ち望む日々。そしてその報《しら》せはやってきた。次走は東京のレースだという。なんとダービーのトライアルレースだとか。

それなりの回数競馬を見ているから分かることもある。ああいう気性の荒い馬の殆《ほとん》どは大成しない。条件戦では圧倒できても、トップオブトップやエリートの集う重賞では通用しないことが大半なのだ。これまでだって何頭もそういう馬たちを見てきた。

あの可愛いサタンマルッコもそんな一頭になるんじゃないか。出走表を確認すると、さすがにダービートライアルである、条件戦の選別を勝ち抜いてきた強者達《たち》が集っている。このメンバーの中にあって、果たして一着をもぎ取ることが出来るんだろうか。ちょっとした諦めを感じつつ、鞄の匂いが染みついた万札を複勝に突っ込んだ。一着にはなれないかもしれない。でも、二着や三着にならなれるかもしれない。それはそれで、凄《すご》いことなんじゃないか。

自分でもよくわからない心境だった。複勝すらも覚束《おぼつか》ないと思うのだったら馬券を買わなければいいのに。なんとか言い訳をひねり出してあの可愛い目をした栗毛《くりげ》の馬の馬券を買おうとしている。

結局、レースは地元の場外馬券発売所で観戦することにした。

結果は、やはり一歩及ばず二着。

ああ、だめだったかぁ。と落胆しかけたが、トライアルレース青葉賞は二着までダービーへの優先出走権が付与される。

あ。出られるんだ。この馬が。ダービーに。

またしても増えた万札の束を鞄に詰め込みながら、ふと閃《ひらめ》くものがあった。

(見に行ってみようかな。東京まで)

せっかくだから全く触れずにいた有給休暇も使ってみたりして。


来る五月下旬。東京競馬場のパドックまでやってきた。

これまでもGⅠレースは何度も観戦してきたが、やはりダービーの人出は他とは違うなと感じさせられた。午前中からパドックの最前線を確保して、その甲斐《かい》あって絶好のポジションでカメラを構える事が出来た。

サタンマルッコだ。

今日はなんだかいつもより気合が入っているように見えた。他の馬のやる気は分からない。でも、毎日毎日画像を眺めていたこの馬だけはそれが判別できた。

複勝に、これまであの馬で稼いだ、鞄の中の万札全部を入れるつもりだった。三着に入れば凄い事だと思っていたから。けれど、それはやめにした。

一着になって欲しい。

一番になって欲しい。

あの日あの時、運命を感じたこの馬に。

青葉賞で二着になったときに感じた、この胸のモヤモヤを吹き飛ばして欲しい。

だってそうだろう。こうして他の馬と並べて見てみても、君が一番可愛いんだ。一番強そうなんだ。俺の最強が君であって欲しいんだ。

単勝《いちばん》に全部いれよう。


レースが始まった。

普段、大きな声を出す性質ではない。声が小さいと叱られる事も少なくない。

だから、自分でも驚いていた。こんな声が、自分の喉から出るんだな、と。

「いけえええぇぇッ！　マルッコォォォッ！」

ずっと一番だった。スタートしてから1コーナーを抜けて、2コーナー、向こう正面、3コーナー、4コーナー、そして直線。

結果は全てを吹き飛ばすような圧倒的な一着。

何故《なぜ》泣く。馬が勝っただけだろう。

拭っても拭ってもとめどなく溢《あふ》れる涙と鼻水。

高らかに上げられた嘶《いなな》きと怒号の応酬。

その瞬間、風穴が開いた。

何になんだろう。

繰り返していた生活に。そうではない気がする。

帰りの新幹線。考えて、思い至った。

変わったのはきっと自分の考えなんじゃないだろうか。

頭を押さえつけられるような閉塞感。腹の中身が地面に縛り付けられるような鬱屈感。

それは狭い世界への思い込みで、本当は認識する世界の外側に、もっと広い世界が広がっていたのではないか。

そういう何もかもに風穴が開いた。

風が吹き抜けていく。足元から鼻先を掠《かす》めて、頭髪を巻き上げながら空へ。空高く上がってもまだ止まらずに、蒼穹《そうきゅう》の先、雲の彼方《かなた》、星空まで広がって。

なんていい気分だ。なんて爽快なんだ。

週末が楽しみになった。やがて訪れるサタンマルッコのレースが近づくから。

最近よく笑うと言われるようになった。それはそうだ。だってサタンマルッコはこれからもレースで走るんだから。

ある日の帰り道。仕事上がりの倦怠感《けんたいかん》を引きずりながら、路地を歩いてふと気付いた。

ああ。趣味を持つって、こういうことか。

大人になるって、楽しいな。

2

ロンシャン競馬場の直線は長い。

フォルスストレートと呼ばれる大回りコースにのみ出現する第4コーナー手前の長い擬似直線とメインストレッチ前の最終直線を合計すると1000mを超える。この長い直線でペースを乱し、直線半ばで馬群に沈む競走馬のなんと多い事か。

その点、クエスフォールヴはここまで完璧な騎乗でロンシャンの直線を制していた。

残り400mまでは中団待機。そこから一気に抜け出して先頭へ躍り出た。近年は日本で通年免許を取得し活躍しているデイヴィッド・ロペスだが、世界のリーディングで鎬《しのぎ》を削ったその腕前は伊達《だて》ではなかった。ロンシャンのコースを良く知った会心の騎乗。

残り200m。この時点から吉沢富雄《よしざわとみお》は不穏な胸のざわめきを抑えられないでいた。先頭は愛馬クエスフォールヴ。父の代から続くグループが誇る血の結晶と言えたその馬が、漆黒の馬体を弾ませてロンシャンの深い芝生のターフを駆けている。だが、そのすぐ後ろをピッタリと付け狙う影があった。

残り100m。馬上からもゴールは見えていることだろう。その瞬間に付け狙っていた馬、セヴンスターズ鞍上《あんじょう》フランコフの鞭《むち》が唸った。

クエスフォールヴはあまりにも容易《たやす》く交わされた。いつでも抜けたと言わんばかりにセヴンスターズの葦毛《あしげ》の馬体は弾み、1馬身、2馬身と差を広げ、3馬身差がついたところがゴールだった。

ゴールの瞬間、吉沢の胸に去来する思いは「またか」であった。

もう何度目であろうか。日本馬が凱旋門賞《がいせんもんしょう》へ挑戦し、二着に敗れるのは。

コンドルが、フェスタが、フリートが、そして今クエスフォールヴが。

勝った馬が三歳馬なら、牝馬《ひんば》であるなら、言い訳のしようもあった。凱旋門賞は年齢や性別による斤量差（馬が年齢や性別によって背負う重量）が大きいレースだ。逆説的に三歳で、牝馬であればもっとも有利であるといえる。

しかし。セヴンスターズはクエスフォールヴと同じ牡馬《ぼば》で、四歳馬だ。さらに昨年度の凱旋門賞覇者でもある。つまりは連覇である。それも圧倒的な内容でだ。

（他の世代の凱旋門ならばクエスフォールヴが勝っていたはずだ。どうしてこういう時だけいつもいつも！）

コンドルにモンジューが、フリートにトレヴが居た様に、クエスにセヴンスターズが立ちはだかっている。最早《もはや》呪いか何かのように付きまとう二着の呪縛。

今年こそは、この馬こそはと、願いを託した結果だった。

この馬でダメなら、一体どんな馬が勝てるんだ。この凱旋門賞は。

日本の競馬が世界に通用するため、として目標に掲げられたのが世界の最高峰レースである、この凱旋門賞だ。凱旋門賞制覇は日本競馬の悲願と言えよう。

故に。

過ぎたる願いは呪いにも似る。日本競馬は凱旋門賞に呪われていた。


その馬について記憶野が刺激されたのは、ジャパンカップで二着に入線したのを見送ったときだった。

パドックの段階からどこかで見覚えがあるような気がしていた。しかし年中馬の顔を見て回っている吉沢にとって、その既視感すら慣れ親しんだ感覚だったため、深く気に留めなかったのだ。

二着、サタンマルッコ。

そうだ、栗毛の馬体にまん丸の白斑。あんな幼駒《ようく》を見たことがある。

手帳の記録を見返せば、確かに記載があった。三年前。羽賀競馬場で行われたセリ市で、吉沢はあの馬と出会い、印象を記録に残していた。

別の用事で九州を訪れていた時だ。訪問先の相手に近くで競走馬のセリがあるから一緒にどうだと誘われ、予定もなかったから参加したのだ。

言い方は悪いが、馬産地としての九州は北海道に劣る。というのは、吉沢一族を始めとする有名牧場の殆どが道南に拠点を置いているためで、地理的な優劣は特に無いと思われる。

だが、セリに出される馬の値段からみても相場が違い、やはりそこに格差のようなものが歴として存在する。

吉沢もそれほど期待して参加した訳ではなかった。しかしこうした馬産地への地道な活動で成り上がったのが吉沢一族であり、社代スタッドグループである。セリへの参加は習性というか、癖のようなところにまで染み付いていていた。

セリには13頭出されるようだ。幼駒が5頭と1歳馬が8頭。

現れる馬現れる馬、特別目を引く身体をしておらず、また、事前に配布された血統書を眺めてみてもよく言えば珍しい、有り体に言ってマイナーなそれらは血統の保存という意味での価値は認めるものの、レースに勝つための馬としては価値があるように思えない代物だった。

そうして時間は過ぎて行き、最後の一頭となった。

現れたのは栗毛……栗毛なのだろうか。鹿毛のようなくすんだ色の幼駒だった。

毛色が悪いというか汚らしい。よくこんな状態でセリ市に出したものだなと別の意味で感動するも、厩務員《きゅうむいん》に連れられ歩いているその幼駒を見ているうち、興味を引かれている己に気付いた。

こうしたフィーリングは馬鹿にできない。吉沢の父親も兄もそういう感覚を信じて掘り出し物を手に入れている。

だがどうだろうか。馬体に目を引く要素は無い。痩せた仔馬《こうま》だ。何に自分は興味を持った？

そうこうしているとセリが始まった。ええい、迷ったら行け、とすぐに出せる金額、80万と口に出した。この場所に連れて来た男が隣で驚いていた。

結局、その幼駒は生産者の買戻しとなった。それはそうだろう。フリートの種付けは吉沢の牧場がやっているが、1回500万である。80万では話にならなかろう。さりとて吉沢も商売人。目で見える要素から算出した価格が80万であった以上、それより上の金額は口に出来なかったのだ。

「あの時の」

周囲は実力を示した愛馬《クエスフォールヴ》の勝利に大盛り上がりで吉沢の様子に気付いていない。

クエスフォールヴが勝利した。それはいい。ある程度既定路線ではあった。だが二着の馬。サタンマルッコ。事前にある程度情報は持ち合わせていた。今年のダービー馬であること、羽賀競馬出身であり、地方競馬出身でダービー制覇を成し遂げたこと。しかし知りたい情報はそういった物ではなかった。

「折村《おりむら》君」

「はい、なんでしょう会長」

「あの馬のことが知りたい。調べてくれ」

そういって指差した先には、怒りに震える栗毛の怪馬の姿があった。


そして時間は流れ、暮れの中山、有馬記念。

吉沢はどれだけスケジュールが厳しかろうと、また、所有馬が参戦していようがいまいが、有馬記念だけは必ず現地観戦していた。日本競馬に携わる者として、これを見なければ一年が終わらないのだ。

間もなく愛馬が直線へ回ってくる。レース展開はタフだった。だからこそクエスが勝つと自信を持っていた。

思ったとおり、クエスのスピードとスタミナに他の馬は付いていけず、直線半ばで足を鈍らせていた。そうだとも。クラシックディスタンスやそれに近い距離で勝つために――凱旋門賞を勝つために生み出された馬だ。積み上げてきた物が違う。やはり、来年もこの馬で凱旋門賞へ挑もう。それこそが一番可能性が高い。

先頭に立った。これで決まりだ。

そう、思った時だった。

俯瞰《ふかん》してみればスルスルと。当事者同士で目撃すれば猛烈な勢いで。内ラチ沿いを駆け上がる馬が居た。

鹿毛と見紛《みまが》う程薄汚れていた馬体は輝くばかりの栗色《くりいろ》に。

幼げで頼りない痩せた身体は、しなやかな厚みを増して。

手帳に記録を残すほど特徴的だった、額の白丸はそのままに。

(そうか)

吉沢はあの時、薄汚れた幼駒に感じた不思議な何かの正体を摑《つか》んだ。

瞳だ。

丸くて愛らしい漆黒の瞳。その奥に燃え滾《たぎ》るレースへの渇望。闘争心。

今、前を走る愛馬《クエス》を睨《にら》みつけて走る、その瞳の闘争心。同じだ。

絶対に勝つという勝利への渇望。

クエスは負けた。頭一つ分しっかり差しきられ、完敗といえる内容で。

（この馬だ）

サタンマルッコ。この馬だ。この馬こそが！

「…………っぁぁぁあああッ！　あの時買っておけばあぁぁぁッ！」

ぎょっとした周囲の視線も気にせず、吉沢は四半刻ほど悶《もだ》え叫んだ。

3

しみったれた町。中川健治《なかがわけんじ》の抱く故郷の印象はそんなモノだった。

道行く人間は暗い顔をしているわけではなかった。けれど明るい潑剌《はつらつ》とした顔をしていたわけでもなかった。停滞と安寧。写真に収めて飾るとするなら、そんな町並み、そんな人波。

それが嫌だった。だから東京へ出た。必死で勉強して関東の国立大学に合格して、卒業後は東京の会社に就職して。今では将来を誓い合った仲の恋人と同棲《どうせい》していて、仕事も順調に行っている。

思い描いた通りの30歳になれた。健治は胸を張ってそう言えた。

そんな健治だが、故郷に帰りたくないのかと聞かれれば、別にそうでもなかった。毎年盆と暮れには帰省していたし、出張で近くに出向くとなればついでに寄るくらいには愛着がある。嫌おうが何しようが生まれ故郷は生まれ故郷。思い出はある。それに両親とも喧嘩《けんか》別れしたわけでもなく仲もよければ、それなりに顔くらい出すものだ。

ところがある時、その親の方がむちゃくちゃをし始めた。父親の貞晴《さだはる》だ。

「はあ？　親父《おやじ》が借金？」

そうなのよ。とは電話口の母。

伝え聞くに、父親が金を借りてゴールドフリートの種を付けようとしているらしい。

牧場の息子の癖に馬にはそれほど詳しくない健治でも知っている名前だ。近年現れた三冠馬だったと記憶している。

「それ幾らだよ」

『500万』

驚きでむせながら、親父に代われと怒鳴りつける。代わった父親は実に暢気《のんき》に口火を切った。

『おう健治久しぶりだな。おい、きいて驚け。今度フリートの種を付けるんだぞ！』

「バカ野郎！　それで借金してたら世話ねぇじゃねえか！　その子供が走らなかったらどうするつもりだ！」

『あぁッ!?　おめぇ親に向かって馬鹿とはなんだ！　だいたいなぁ、三冠馬の子供が走らない訳ねーだろ！　深海を見てみろ、どこもかしこも深海深海深海だろうが！』

詳しい勢力図を知らない健治は言葉に詰まってしまい、嵩《かさ》にかかって貞晴は勝ち誇って電話を切ってしまった。

「馬鹿親父が。どうなっても知らねぇぞ」

その怒り方はまさに父親のソレと瓜二《うりふた》つであったのだが、それを指摘するものはこの場にはいない。

そんなこんなで500万円かけて生まれた仔馬は売れ残った。無様な父の姿を散々嘲笑《あざわら》ってやったが、いよいよとなったら手を貸してやろうとも考えていた。恋人は嫌がるかもしれないが、東京で一緒に暮らせばどうとでもなるだろうと。

その程度の親孝行を考えていた健治だったが、両親からマルッコと呼ばれた栗毛の仔馬の行く末を見届けるまでは牧場を続けるつもりであるらしいと聞かされ、すっかり呆《あき》れ返ってしまった。

まあ別に今すぐどうなる物でもないし、何より子供《じぶん》が独り立ちした親の人生だ。好きにすればいい。そう区切りをつけ口を挟むのを止《や》めた。

その仔馬とは実家へ帰省するたびに触れ合う程度の間柄だった。ペットとしてみれば可愛い事この上ない容姿は、偶《たま》の帰省で仕事の疲れを癒すにはうってつけだった。

そんな馬のほうも健治の顔を覚えているらしく、帰ってくる度やたらと愛らしい仕草で好物をねだるのだ。帰省の際、りんごを袋一杯にぶら下げる健治に、恋人はしきりに首をかしげていた。

今年も年始に帰って来た。信じられない事に、あの仔馬はダービーを勝ち、更にもう二つもGＩを勝ったというではないか。

夏に帰省した際は別の意味でも驚かされた。あの、しみったれた空気が漂う羽賀の町が、明るく、賑《にぎ》やかになっている。きょろきょろと落ち着かず地図と標識を見比べる観光客、都会めいた服飾の女性、カメラをぶら下げた男性、杖《つえ》を突きふらふらした足取りで何処《どこ》かへ向かう老人。

みんな競馬場を目指していた。みんながあの仔馬、サタンマルッコに会いに来ていた。

あの時吹いた風は、年始の今も続いていた。町並みが明るい。人の笑顔が眩《まぶ》しい。

「やるじゃん。親父」

決して本人には、言わないけれど。


「よーう丸いの。久しぶりだな、元気してたか?」

「ふーぶるぶる」

夕日の沁《し》みる時間帯。はるばる東京から飛行機で帰省した健治は、牧場の入り口をうろうろしていたマルッコのたてがみを撫《な》でつけた。マルッコが放牧地の柵内に居ないのは最早日常であるので、健治はいちいち目くじらを立てたりしない。

マルッコがすんすん鼻を鳴らしながら健治が懐に抱える紙袋を口先で突《つつ》く。袋の中身は勿論《もちろん》りんごである。

「こーら。後で持ってきてやるから」

「ふっひーん」

「お前の好きな長野県産のりんごだぞ。GI三勝馬様へのお祝いだ」

「ひっひひーん」

分かったような嘶きに健治の口元が綻ぶ。本当に犬のような態度を取る馬だ。

マルッコを伴い、ついでに柵の内側へ押し込んで、事務所ではなく母屋側の玄関の引き戸を開けた。来客中らしく、見慣れない黒い革靴が並んでいた。

居間の方から騒々しい声がする。酒でも飲んでいるのだろうかと思いつつ、靴を脱ぐ。

「ただいま」

「ん？　おお健治。こっちに着いたら電話寄越《よこ》せって言ったじゃねえか」

「悪い悪い。すっかり忘れてた。それで、こちらはお客様？」

「おお！　そうだ！　なんとな、聞いて驚け！　あの、天下のグループ、ノースファーム代表の吉沢会長だぞ！」

「やや、中川牧場長、息子さんですか？　ご立派な息子さんですなぁ！」

「いやいや、吉沢さんところのご子息と比べたら屁《へ》みたいなモンで」

「いやいやいや、うちのはいつまで経《た》ってもお坊ちゃま気質が抜けなくていけませんよ。やはり男はね、独立して生活を一から十まで全っ部自分でケツ持ってこそですよ！」

「アハ、アハハハ！　そうですかね！　おい健治！　吉沢会長が褒めてくれたぞ！　鼻が高いなァ、ワハハハハ！」

ああ、馬好きの酔っ払い親父が二人居るのね、と状況を把握した健治はいくらか白けた調子で挨拶を返した。テーブルにはこれまで鍋を突きながら空けたと思われるビール瓶が並んでおり、その数から逆算すると昼頃から飲みっぱなしであったようだと推察された。この出来上がり具合も納得である。

随伴しているスーツ姿の男が申し訳なさそうに健治へ頭を下げている。恐らく吉沢会長とかいう人の秘書みたいな立場の人だろうとあたりを付ける。

何とかグループの偉い人がこんなうらぶれた弱小牧場へ何しに来たのか不明だが、無礼講の気配を会社員特有の感覚器で察知した健治は、必要以上にかしこまる事をやめた。

「はいはい、お待ちどお様。お酒とお料理お持ちしましたよ……あら健治。お帰りなさい。いつ帰ってきていたの？」

そこに料理とビール瓶を持った母、ケイコが台所から姿を現した。

「ただいま母さん。つい今さっき。これ、丸いのへの土産。こっちは母さん達に」

「あらあら。ありがとうね。今年は希《のぞみ》ちゃん連れてこなかったの？」

「希は向こうの家族とハワイ旅行だってさ」

「んだよ、九州だって南国だから似たようなもんだろ？」

「全然ちげーよ」

「おやおや、息子さんはご結婚為されているのですか？」

「いえいえ！　こいつ、根性無しなもんで同棲してても結婚してないんでさぁ。お前いつになったら身を固めるんだよ。俺なんか裸一貫でケイコと結婚したもんだぜ？」

「まあ、あなたったら」

やかましい親戚が一人増えたみたいな宴会だ。

健治は出されたビールを一口呷《あお》って、冷やかされ役《ピエロ》に徹した。


酔い醒《ざ》ましに外歩いてくる、と言い残して健治は外に出た。

一月の夜風は身に染みて冷たい。だが火照った身体にはちょうどよかった。

暫《しばら》く馬道を歩くと、気配でも察知したのか、暗がりからマルッコが寄って来た。

「酒くせーぞ、俺」

すんすん鼻を鳴らすマルッコがぶひっ、と鳴くタイミングでそう言ってやった。言うのが遅いと恨みがましい眼《め》で見てくるマルッコの鼻先を撫でる。

「お前も随分でかくなったな。ついでに偉くなった。あの借金抱えた疫病神が、いまや年収億越えのGIホース様だ。親父も母さんもすっかりご機嫌。お前のおかげだな」

自分の胸くらいも無かった体高が、いまでは見上げるほどになっている。痩せた身体も大きくなって、毛色も綺麗《きれい》な栗色だ。

たてがみや頭、鼻先をかわるがわる撫で付けながら、人馬は静かな時間を過ごした。

「おや、こちらにいらっしゃいましたか」

そろそろ身体も冷えてきたという頃、声を掛けられた。声の主は来訪者、吉沢だった。

「ああ、どうも。そろそろ戻ろうかと思っていたところです」

「九州とは言え流石《さすが》にこの時期は寒いですからね。あまり長居はしない方がよろしいでしょう」

吉沢は近くに寄ると、じっとマルッコを見つめた。

「実は私とこのサタンマルッコには縁がありましてね」

「縁？」

「この馬が羽賀競馬場でセリに出された際、入札していたんですよ。結局生産者買戻しとなってしまいましたが。思い出したのはついこの間でね、あの時買っておけば、と悶絶《もんぜつ》したものです」

ははは、と軽妙に笑う吉沢。

「吉沢会長は、今日はどうしてうちみたいな牧場にいらっしゃったんですか？」

「ええ。サタンマルッコの今後について、中川オーナーにご提案をしに訪問したんですよ」

「提案？」

「海外遠征についてのご提案です」

海外。急な単語に健治は暫くその言葉を反芻《はんすう》した。

「海外、というと、ヨーロッパとかの？」

「ええ。具体的には秋の大一番、凱旋門賞」

「凱旋門賞……うちの丸いのが？」

「様々な要素から考えて、国内で勝つ確率が最も高いのがサタンマルッコであると私は確信しています。これほどの馬で世界に挑戦しないのは、日本競馬界の損失ですよ」

「世界、日本競馬界……ふふっ、ちょっと信じられませんね」

「いえ、私は」

「ああいえ、お言葉を疑うわけではありませんよ。そうですね、少し歩きながら話しませんか？」

ほらいくぞ、と傍らのマルッコの首を叩《たた》く。ぽこぽこと健治の歩幅に合わせてマルッコは歩き出した。その何気ない仕草に吉沢は目を見張りつつ、後に続く。

「あの柵、わかりますか？」

そう言って健治が指差したのはそれまで続いていた柵が一段高くなっている箇所だった。

「あそこ、俺が子供の頃なんかは少しへこんでいて、他よりも一段低かったんです。だもんで、放牧中の馬があそこを飛び越えちゃって。親父が慌てて作り足した柵なんですよ」

「ああ、牧場の入り口なんかは、好奇心旺盛な馬だと見に来ますからね。出れるとなったら出ようとしても不思議ではありませんね」

「作り足してからは柵から出る馬は居なくなったんですがね。丸いの」

我が意を得たと言わんばかりにマルッコは駆け出し、見事な飛越で柵を越えた。

2mは近い跳躍に、またしても吉沢は目を見張った。

「あ、危ないですよ！　怪我《けが》でもしたら大変な事に！」

「大丈夫ですよ。丸いのは小さいころからあそこを飛び越えてましたから」

「は、はあ？」

「初めて会ったときも柵を越えたところでしたよ。まあ途中から面倒くさくなったのか、下を潜《くぐ》るようになったらしいですけどね。俺にとっては、こいつはそういう馬でした」

柵の向こうから「すげーだろ褒めろ」と頭を突き出すマルッコの頭を撫でながら、健治は続ける。

「昔から家の仕事は手伝わなかったんです。ずっと学校の勉強してました。だから馬のこととか、全然知らなくて。こいつと出会うのがもっと早ければ、違う道を選んでいたかもしれませんね。まあ、今更ですが」

「…………競走馬が背中に何を乗せて走るか、知っていますか？」

「そりゃあ、騎手じゃないんですか？」

「いいえ、それだけじゃありませんよ」

「うーん、鞍《くら》とか、あと錘《おもり》とか」

吉沢はゆっくりと首を振る。

「夢。人の思いですよ」

格好付けすぎですか？　と吉沢は少しおどけて見せた。

夢。人の思い。分かるような、分からないような。

「……親父は昔からセコイ真似《まね》した時はとことん失敗するんです。例えば、三冠馬の子供を売って儲《もう》けよう、とかね。でも、不思議とでかい事をやるときだけは一度も失敗しませんでした。羽賀の競馬が曲がりなりにも運営されていたのだって、親父が平日競馬の馬券をウェブ上で買えるようにするべきだって主張したからなんですよ」

「おや？　馬産に関わる事柄に興味が無かったのでは？」

「酒を飲むたびに武勇伝で聞かされてるんで、事細かに説明できるようになってしまいました」

「それは、なんとも中川オーナーらしい、のでしょうね」

「ははは……吉沢会長。丸いのの凱旋門賞挑戦っていうのは、どっちなんでしょうね」

「もしも挑戦するとなれば、それは勇気ある決断であると思いますよ」

「……競走馬は夢を乗せて走るんですよね」

「私はそうであって欲しいと願っていますよ」

「夢を見るには、俺は少々手堅く生き過ぎました。繋《つな》がったしがらみで、もう然う然う無茶なんか出来やしないです。だから吉沢会長。俺の夢も、こいつの背中に乗りますかね」

「彼に聞いてみてはどうです？」

呼びかけられたマルッコは、なんだー？　と首を傾《かし》げるばかり。

「なんだよ、たよりねーやつ」

「ぶひっ」

東京に帰ったらプロポーズをしよう。

子供に夢を託すというのは、きっとこんな感覚なのだろうから。

愛する人の子供なら、それはきっともっと素敵なはずだ。


一つの夢が終わり、また新たな夢が始まる。

夢の名前はサタンマルッコ。

あとがき

馬券は１００円で！　（挨拶）

この12ハロンのチクショー道というお話は僕が２０１８年日本ダービーで負けた時に生じた激情がきっかけで生まれました。

僕は騎手ではないし、生産者でも勿論お馬さんでもないので、負けたというのは馬券を外して有り金を全て失った状態の事を指します。ボロ負けです。クソ負けです。

昔から飽きっぽい性格をしていました。小説を書くのも話を考えるのは好きなのですがアウトプットが面倒になって止めてしまうことが殆どでした。そんな僕が激しい感情と共に1ヶ月以上仕事終わりに毎日更新を続けて書き上げたものが拙作です。

タイトルのチクショーというのは僕の抱えた激情でもあり、２０１８年から続く僕の物語はこの出版をもって一区切りとなりました。

勢い任せである部分、細かなディテールの甘さ、文章表現の稚拙さなどを書籍化に伴って痛感させられましたが、熱くて激しく楽しいお話になったと感じています。当時日間スレから来てくれた皆ありがとうな！

さて、この書籍が皆様のお手元にあるという事は当然その代価として僕は報酬を得ているわけです。時期的にはフェブラリーステークスの頃でしょうか。

………………………馬券は１００円で！

OVERLAP NOVELS

12ハロンのチクショー道

発行 2021年12月25日 初版第一刷発行

著者 **野井ぷら**

イラスト **卵の黄身**

発行者 永田勝治

発行所 **株式会社オーバーラップ**
〒141-0031
東京都品川区西五反田8-1-5

校正・DTP 株式会社鷗来堂

印刷・製本 大日本印刷株式会社

ISBN 978-4-8240-0066-8 C0093

【オーバーラップ カスタマーサポート】
電話 03-6219-0850
受付時間 10時～18時（土日祝日をのぞく）

作品のご感想、ファンレターをお待ちしています

あて先：〒141-0031 東京都品川区西五反田8-1-5 五反田光和ビル4階 オーバーラップ編集部
「野井ぷら」先生係／「卵の黄身」先生係

スマホ、PCからWEBアンケートにご協力ください

アンケートにご協力いただいた方には、下記スペシャルコンテンツをプレゼントします。
★本書イラストの「無料壁紙」 ★毎月10名様に抽選で「図書カード（1000円分）」

公式HPもしくは左記の二次元バーコードまたはURLよりアクセスしてください。
▶ **https://over-lap.co.jp/824000668**
※スマートフォンとPCからのアクセスにのみ対応しております。
※サイトへのアクセスや登録時に発生する通信費等はご負担ください。

オーバーラップノベルス公式HP ▶ **https://over-lap.co.jp/lnv/**